Daniel Fre

Gabriela Soldano Garcez

Angela Limongi Alvarenga Alves

(Orgs.)

INOVADORES CONTEXTOS DO DIREITO INTERNACIONAL

GOVERNANÇA - AMBIENTE – DIREITOS HUMANOS

Adriana de Sousa Barbosa
Albert Silva Rodrigues
Alder Thiago Bastos
André Medeiros Toledo
Andressa Soares Borges Toledo
Anna Carla Lopes Correia Lima de Freitas
Danilo Lopes de Mesquita
Gabriel de Almeida Diogo
Heloize Melo da Silva Camargo
Leidiane Santos Vilarindo
Monizze Lotfi
Noemi Lemos França
Rênio Líbero Leite Lima
Ronilton Pereira Lins

ISBN: 978-3-03927-021-7

LAWINTER EDITIONS
New York - Zürich

INOVADORES CONTEXTOS DO DIREITO INTERNACIONAL

GOVERNANÇA - AMBIENTE – DIREITOS HUMANOS

Organizadores

Daniel Freire e Almeida

Gabriela Soldano Garcez

Angela Limongi Alvarenga Alves

Adriana de Sousa Barbosa

Albert Silva Rodrigues

Alder Thiago Bastos

André Medeiros Toledo

Andressa Soares Borges Toledo

Anna Carla Lopes Correia Lima de Freitas

Danilo Lopes de Mesquita

Gabriel de Almeida Diogo

Heloize Melo da Silva Camargo

Leidiane Santos Vilarindo

Monizze Lotfi

Noemi Lemos França

Rênio Líbero Leite Lima

Ronilton Pereira Lins

LAWINTER EDITIONS

New York - Zürich

2022

INOVADORES CONTEXTOS DO DIREITO INTERNACIONAL

Editorial Board

Library of Congress Cataloging-in-Publication Data
FREIRE E ALMEIDA, Daniel; GARCEZ, Gabriela Soldano; ALVES, Angela Limongi Alvarenga | Organizers.
Title: Inovadores Contextos do Direito Internacional. Governança - Ambiente – Direitos Humanos / edited by Daniel Freire e Almeida, Gabriela Soldano Garcez, and Angela Limongi Alvarenga Alves.
Authors: Adriana de Sousa Barbosa - Albert Silva Rodrigues - Alder Thiago Bastos - André Medeiros Toledo - Andressa Soares Borges Toledo - Anna Carla Lopes Correia Lima de Freitas - Danilo Lopes de Mesquita - Gabriel de Almeida Diogo - Heloize Melo da Silva Camargo - Leidiane Santos Vilarindo - Monizze Lotfi - Noemi Lemos França - Rênio Líbero Leite Lima - Ronilton Pereira Lins.
First edition. | New York: Lawinter Editions, 2022. Includes bibliographical references and index.
ISBN 978-3-03927-021-7 (pbk.)

Subjects: International Law – Global Governance – Environmental Law – Human Rights

LAWINTER WORLD GROUP

Send all inquiries to:
Lawinter Editions: editions@lawinter.com .

Printed in the United States of America.
2022

SUMÁRIO

APRESENTAÇÃO

Daniel Freire e Almeida [1]*

Gabriela Soldano Garcez [2]**

Angela Limongi Alvarenga Alves [3]***

---

[1] * **Daniel Freire e Almeida**:
-Pós-Doutor em Direito Internacional pela Georgetown University, Law Center, em Washington DC, Estados Unidos da América (2015-2017).
-Doutor em Direito Internacional pela Faculdade de Direito da Universidade de Coimbra, em Portugal, com reconhecimento e revalidação pela Universidade de São Paulo-USP (2008-2012).
-Mestre em Direito Internacional pela Faculdade de Direito da Universidade de Coimbra, em Portugal, com reconhecimento e revalidação pela Universidade de São Paulo-USP (1999-2002).
-Professor Permanente do Programa de Pós-Graduação Stricto Sensu- Doutorado e Mestrado em Direito da Universidade Católica de Santos.
-Advogado, atuando, no Brasil e no exterior, nas áreas de Direito Internacional, Direito Digital e Direito Espacial.

[2] ** **Gabriela Soldano Garcez**:
-Doutora em Direito Ambiental Internacional e Mestre em Direito Ambiental, ambas pela Universidade Católica de Santos (com bolsa CAPES).
-Pós-Doutora pela Universidade Santiago de Compostela/Espanha e pela Universidade de Coimbra/Portugal.
-Professora do Programa de Pós-graduação Stricto Sensu em Direito da Universidade Católica de Santos.
-Vice-líder do Grupo de Pesquisa "Direitos Humanos e Vulnerabilidades" e Vice-Coordenadora da Cátedra Sérgio Vieira de Mello, ambos cadastrados na Universidade Católica de Santos.

[3] *** **Angela Limongi Alvarenga Alves**:
-Livre-Docente, Doutora e Pós-Doutora em Direito pela Universidade de São Paulo (USP-Brasil).
-Visiting Research na Universidade de Durham (Reino Unido).
-Professora do Programa de Pós-Graduação em Direito (Mestrado e Doutorado) da Universidade Católica de Santos (UniSantos-Brasil).

Apresentação
INOVADORES CONTEXTOS DO DIREITO INTERNACIONAL

Desde o início do século XXI, a humanidade tem enfrentado diversas questões globais, que trazem desafios para os clássicos sujeitos de Direito Internacional, tendo em vista a necessidade de abordagem fora do âmbito tradicional, a partir de mecanismos já bastante consagrados.

São assuntos complexos (como, por exemplo, direito ao meio ambiente ecologicamente equilibrado, e, o Direito Internacional dos Direitos Humanos, entre outros temas), que extrapolam as soluções já implementadas por Estados e Organizações Internacionais, tradicionalmente adstritas a um único território nacional, porque estas questões não estão aprisionadas a uma única fronteira estatal (sobrepondo-se aos limites estabelecidos pelas fronteiras físicas dos Estados).

Dessa forma, para a solução integrada e comum de tais problemas, torna-se necessária a criação de novas fórmulas, que possibilitem a ampliação da participação. Surge então a necessidade de uma nova abordagem; uma estrutura que permite novos regimes, mas também abriga a possibilidade de utilização de instrumentos (de *soft* ou de *hard law*, jurídicos – como é o caso das convenções e tratados internacionais – ou não jurídicos - como resultados de painéis e pesquisas da comunidade científica – mas, de qualquer forma, inter e multi disciplinares, em simbiose entre outras áreas do conhecimento, como tecnologia, informação, engenharia etc.) com o auxílio de novos atores não estatais no cenário internacional (como é o caso das empresas, das organizações não governamentais, da comunidade científica, dos veículos de comunicação de massa, entre outros de influência internacional), bem como novos modelos de enfrentamento para tais questões, através da implementação da governança global.

Assim, com a colaboração de outros organismos da sociedade internacional, o Direito Internacional tem enfatizado a preservação da qualidade de vida, aliado a sustentabilidade, por meio da governança global, imprescindível para os processos de desenvolvimento econômico e social, a fim de criar um compromisso de todos pela gestão adequada ao desenvolvimento sustentável (pautado, inclusive, em documentos internacionais, como é o caso da Agenda 2030, da ONU).

Trata-se, portanto, da "participação ampliada" (peça-chave nesse processo) visando à solução dos conflitos, mediante a busca de consenso. Isso porque, o conceito de governança implica em assegurar a participação de diversos atores sociais na resolução dos problemas comuns, através de procedimentos em conjunto para diagnóstico e, a partir daí, construção da solução e posterior implementação, monitoramento e/ou fiscalização. Ou seja, refere-se às atividades que sustentam objetivos comuns, que podem ou não derivar de prescrições jurídicas e formais, mas que devem ter, por condição intrínseca, aceitação e/ou apoio da maioria, uma vez que partem do pressuposto de que os problemas comuns exigem ações conjuntas.

É, nesse cenário inovador, que nasce a presente Obra, objetivando trazer contribuições e análises sobre o momento atual do Direito Internacional, com perspectivas sobre meio ambiente, Direitos Humanos, águas, energia, entre outros temas relevantes, contribuindo, assim, para a produção de conhecimento científico.

Por conseguinte, o Livro intitulado de "**Inovadores Contextos do Direito Internacional – Governança - Ambiente – Direitos Humanos**", é principiado por Capítulo de **Gabriel de Almeida Diogo**, que aborda a execução das sentenças proferidas pela Corte Interamericana de Direitos Humanos em face do Brasil. O texto apresenta a natureza e vinculação da Corte Interamericana, classifica as sentenças proferidas em relação ao Brasil, e aborda o caso Vladimir Herzog com os consequentes entraves constitucionais brasileiros levantados pela condenação do país.

Em prosseguimento, **Anna Carla Lopes Correia Lima de Freitas** discorre sobre a ascensão do regime talibã e a involução dos direitos e liberdades individuais das mulheres afegãs. Para a Autora, o retorno do grupo ao poder representou um verdadeiro retrocesso e desrespeito aos direitos e liberdades das mulheres naquele país, com gradual exclusão feminina na esfera pública do Afeganistão, repercutindo em todo o mundo.

Em continuidade, **Adriana de Sousa Barbosa** trabalha o conceito de mínimo existencial e o Direito Internacional, buscando desvendar alguns dos vínculos entre a cidadania e os direitos humanos, tendo como premissa o âmbito da dignidade humana, e demonstrando que a referida dignidade está sendo concretizada na medida em que os direitos humanos se efetivam.

Nesta ordem, **Rênio Líbero Leite Lima** traz a governança global como um mecanismo para a proteção efetiva dos refugiados. O Autor destaca ser fundamental que os atores internacionais se envolvam em esforços coordenados para acolhimento e realocação dos refugiados, revestindo-se a governança global como a melhor ferramenta para a solução das crises migratórias decorrentes do deslocamento internacional forçado de pessoas.

Em Capítulo seguinte, a paradiplomacia, a globalização, e a atividade internacional dos governos subnacionais no Brasil é a temática apresentada por **Danilo Lopes de Mesquita** e **Albert Silva Rodrigues**. Os Autores levantam que a paradiplomacia é uma realidade consolidada em todo o mundo, e essa atividade desenvolvida por governos subnacionais está enraizada na geopolítica do Direito Internacional, sem afrontar a unidade política dos países, como o Brasil.

Mais à frente, o Livro traz Capítulo de **Heloize Melo da Silva Camargo**, que defende o compliance como estratégia para aplicação dos princípios de Environmental Social Governance (ESG) e da Responsabilidade Social Empresarial (SER). Desta forma, a Autora apresenta os princípios de ESG e RSE como mecanismos a fim de tornar as empresas cidadãs capazes de beneficiar todos os stakeholders, contribuindo para o sucesso das corporações e da sociedade, por consequência.

Também em novo contexto do Direito Internacional, é o Capítulo de **Alder Thiago Bastos** sobre a nova corrida espacial alavancada pela iniciativa privada e a necessidade de regulamentação pela juridicidade internacional. O Autor argumenta que a regulamentação de um tratado internacional que considere as novas dinâmicas elevadas pelas empresas espaciais é oportuna e fundamental para o futuro do ambiente internacional espacial.

Em âmbito agora da responsabilidade internacional e da responsabilidade civil doméstica no segmento ambiental é o Capítulo de **André Medeiros Toledo** e **Andressa Soares Borges Toledo**. Os Autores investigam e apresentam como é configurada a responsabilidade em matéria ambiental, tanto na perspectiva do Direito Internacional Público, enquanto regime geral, como do Direito Ambiental Internacional, como regime especial.

Neste passo, o Livro traz Capítulo de autoria de **Leidiane Santos Vilarindo**, que analisa a prevalência dos Direitos Humanos, com enfoque sobre o direito ao meio ambiente equilibrado e a dignidade, como tema central na apreciação do caso Pequiá de Baixo, na região pré-amazônica. A Autora verifica a qualidade de vida da população envolvida a partir da verificação da presença de serviços públicos mínimos como acesso à saúde, saneamento básico, rede de tratamento de água encanada, condições dignas de moradia e meio ambiente equilibrado.

Já em se tratando de governança global aplicada à proteção da água nas Constituições do Brasil e do Uruguai, na perspectiva do direito comparado, é o Capítulo desenvolvido por **Noemi Lemos França**. Para a Autora, a partir de elementos do direito comparado entre as cartas constitucionais dos referidos países, é possível identificar melhorias em regimes internos e externos com vistas a boa governança global.

Nesta sequência, **Ronilton Pereira Lins** apresenta os benefícios e os impactos ambientais da energia solar. De acordo com o Autor, o desafio das fontes de energia é um tema de soberania nacional, capaz de provocar conflitos internacionais. Neste sentido, o Capítulo apresenta os principais tipos de energias renováveis, assim como seus impactos positivos e negativos, ressaltando a importância da implementação dessas energias renováveis no Brasil.

Em Capítulo derradeiro na presente Obra, é o estudo desenvolvido por **Monizze Lotfi** a respeito da proteção internacional do meio ambiente em face do direito à moradia. A Autora realiza análise minuciosa sobre a preservação do meio ambiente e das relações internacionais em relação ao direito de moradia, evidenciando a importância do desenvolvimento sustentável como forma de propiciar uma melhor qualidade de vida para as gerações futuras.

Apresentação
INOVADORES CONTEXTOS DO DIREITO INTERNACIONAL

Partindo-se da essência dos temas investigados e apresentados, é que o Livro concretiza o resultado de aprofundados estudos, destacando os inovadores contextos internacionais, e realçando a governança, o ambiente, e os Direitos Humanos como temáticas fulcrais para o futuro do Direito em geral, e do Direito Internacional em especial.

Daniel Freire e Almeida

Gabriela Soldano Garcez

Angela Limongi Alvarenga Alves

Apresentação
INOVADORES CONTEXTOS DO DIREITO INTERNACIONAL

A EXECUÇÃO DAS SENTENÇAS PROFERIDAS PELA CORTE INTERAMERICANA DE DIREITOS HUMANOS EM FACE DO BRASIL

Gabriel de Almeida Diogo [1*]

Introdução

O presente capítulo tem por objetivo analisar o cumprimento das sentenças proferidas pela Corte Interamericana de Direitos Humanos com destaque para a República Federativa do Brasil.

Como processo metodológico foi adotado a análise qualitativa e pormenorizada da classificação das sentenças proferidas pela Corte Interamericana de Direitos Humanos, bem como, a repercussão destes julgados no ordenamento jurídico pátrio.

A Comissão e a Corte Interamericana de Direitos Humanos foram instituídas com o Pacto de San José da Costa Rica como órgãos internacionais de garantia dos Direitos Humanos, havendo destaque para a Corte pela sua autonomia e natureza consultiva e contenciosa.

---

[1] * **Gabriel de Almeida Diogo**:
-Formado pela Universidade Católica de Santos.
-Advogado.
-Mestrando em Direito Internacional pela Universidade Católica de Santos.
-Professor no curso preparatório PROORDEM Santos.

O Brasil aderiu a competência da Corte em 12 de outubro de 1998, passando – em tese – a ser vinculada a cumprir eventuais condenações que passe a sofrer, bem como, a seguir o rito processual específico adotado.

Apesar de um sistema eficaz quanto a admissibilidade, legitimidade e processamento dos casos internacionais que são apresentados, a problemática em questão verifica-se em um déficit nas fases finais de tramitação, especialmente na execução das decisões.

Neste sentido, torna-se necessário analisar por qual motivo existe uma baixa aderência dos estados, em destaque o Brasil, na execução das sentenças proferidas pela Corte ainda que tenham se submetido voluntariamente à sua competência.

Assim, resta oportuno não apenas verificar a classificação jurídica das sentenças proferidas pela Corte, mas, as dificuldades que se apresentam diante de pontos de choque entre o comando internacional e a própria Constituição da República Federativa do Brasil de 1988.

Por fim, buscando sedimentar estes apontamentos, destaca-se um caso de grande repercussão em que o Brasil foi condenado pela Corte Interamericana: O caso do jornalista Vladimir Herzog.

1. A natureza e vinculação da Corte Interamericana de Direitos Humanos para seus Estados aderidos

O desenvolvimento de um sistema regional de direitos humanos para as Américas está atrelado ao avanço gradativo de cooperação entre estados na efetivação dos direitos fundamentais.

A proteção aos direitos humanos e seu caráter essencial, firmado principalmente no cenário pós-Segunda Guerra Mundial, teve por consequência a elaboração de documentos e tratados internacionais destinados à tutela das garantias fundamentais do ser humano.

Sob este prisma, Accioly, Silva e Casella (2016, pg. 485) pontuam que "*a (...) proteção internacional dos direitos fundamentais vai ao ponto de caracterizar (...) o direito internacional, no contexto pós-moderno, como a idade dos 'direitos humanos*".

Nesta seara, foram instituídos arcabouços jurídicos e sistemas de proteção aos direitos humanos, como a Organização dos Estados Americanos, de atuação regional, e com esta finalidade, o principal instrumento do Sistema Interamericano é a Convenção Americana de Direitos Humanos de 1969, que estabeleceu a Comissão Interamericana de Direitos Humanos e a Corte Interamericana. (PIOVESAN, 2016, pg.343)

A Convenção Americana de Direitos Humanos assinada em 22 de novembro de 1969 em São José, Costa Rica (Pacto de São José da Costa Rica) representa um marco do compromisso dos estados americanos pela dignidade da pessoa humana e efetivação das garantias mínimas dos direitos fundamentais. (MAZZUOLI, 2009, pg.7)

Neste sentido, a Comissão e a Corte Interamericana de Direitos Humanos possuem um papel de grande relevância para a fiscalizar e condenar eventual conduta pelo estado signatário que viole os direitos elencados na Convenção pelos países que se submeteram à competência contenciosa.

Tratando-se de efetivar condenações em face de estados que violem direitos reconhecidos internacionalmente, a Corte Interamericana possui plena competência para analisar e julgar casos que são apresentados em face aos estados que aderiram à Convenção.

O objetivo em si da Corte é voltado para analisar denúncias de violação de direitos humanos protegidos pela Convenção por Estado-parte, verificando quais as medidas adequadas para restaurar o direito violado. (PIOVESAN, 2016, pg.364)

A análise pela Corte depende de prévio encaminhamento pela Comissão Interamericana de Direitos Humanos, contudo, o que se destaca é a capacidade postulatória admitida por este sistema internacional.

A Comissão interamericana realiza este filtro justamente por ser órgão vinculado à Organização dos Estados Americanos (OEA) e à própria Convenção Americana, ao passo que a Corte em si é um órgão jurisdicional autônomo vinculado apenas com a Convenção Americana, o que solidifica sua competência para analisar e julgar casos que são apresentados, tendo em vista que não está subordinada à Organização dos Estados Americanos (RESENDE, 2013, pg. 231)

Conforme se extrai do artigo 44 da Convenção Americana, qualquer Estado-Parte ou qualquer pessoa, ou ainda qualquer grupo de pessoas possui legitimidade para representar um caso à Comissão para que analise sua admissibilidade:

> *Qualquer pessoa ou grupo de pessoas, ou entidade não-governamental legalmente reconhecida em um ou mais Estados membros da Organização, pode apresentar à Comissão petições que contenham denúncias ou queixas de violação desta Convenção por um Estado Parte.*

De fato, a Corte é a responsável pelo julgamento e o único capaz de proferir sentença condenatória, contudo, o estado ao aderir à competência da Corte, garante que qualquer pessoa tenha acesso e direito de ser peticionário, e consequentemente, possa gerar um processo internacional que poderá ser submetido à Corte pela Comissão, procedimento este que já foi utilizado diversas vezes após sua criação.

Contudo, conforme destacado anteriormente, existe um juízo de admissibilidade feito previamente pela Comissão, sendo necessário que o peticionante observe o artigo 46 da Convenção.

Diante da extensa lista de requisitos, destacaremos aquela de maior repercussão: o esgotamento dos recursos internos.

A jurisdição internacional do próprio sistema interamericano possui natureza subsidiária, ou seja, necessita que antes de sua provocação tenha sido tentado a solução da violação na via legal interna do Estado, apenas sendo provocada no caso de insucesso neste sentido e comprovando que não há mais possibilidade de satisfação do direito violado. (RESENDE, 2013, pg. 229)

Evidentemente a proposta de esgotar as vias internas do Estado antes de admitir o início de tramitação deste procedimento internacional está associado ao direcionamento do sistema internacional em valorizar e respeitar a soberania interna dos Estados e reduzir eventuais tensões que possam ser causadas por conflitos de decisões internas e externas. (RESENDE, 2013, pg. 230)

Contudo, apesar da vinculação da Corte ao caso que lhe é apresentado e a indiscutível submissão do estado signatário da Convenção Americana a sua competência, o ponto de conflito não está neste procedimento inicial de impulsionamento do processo internacional.

Verifica-se que a Comissão e a Corte estão bem estabelecidas em termos de responsabilidade pela análise prévia e posterior julgamento do caso, possuindo um sistema de admissibilidade completo com capacidade postulatória ampla.

O ponto em questão está justamente no encerramento deste processo, ou seja, a consequência gerada pela sentença proferida pela Corte e qual o reflexo causado ao Estado que eventualmente sofre uma condenação e precisa efetivar uma série de demandas em face da necessidade de proteção dos direitos humanos.

Assim, torna necessário analisar a classificação das sentenças proferidas pela Corte, e ainda qual a relevância jurídica dela para o ordenamento brasileiro em termos de execução e cumprimento.

2. A classificação das sentenças proferidas pela Corte Interamericana de Direitos Humanos para o direito internacional e o ordenamento jurídico brasileiro;

A República Federativa do Brasil é estado-signatário da Convenção Americana, aderindo às obrigações impostas e se submetendo plenamente à competência da Corte Interamericana de Direitos Humanos por força da própria Convenção.

> *O Brasil, por sua vez, é parte da Convenção Americana desde 1992, tendo a mesma sido promulgada entre nós pelo Decreto 678, de 6 de novembro desse mesmo ano. O nosso país também reconheceu a competência contenciosa da Corte Interamericana de Direitos Humanos em 1998, por meio do Decreto Legislativo 89. Portanto, o Estado Brasileiro já se encontra plenamente integrado (desde 1998) ao sistema interamericano de proteção dos direitos humanos, podendo ser acionado (e condenado) por ele em caso de descumprimento dos deveres previstos na Convenção Americana. (MAZZUOLI, 2009, pg.7)*

Assim, não há dúvidas que o Brasil é parte legítima não apenas para representar, mas ser representado pera a Comissão e a Corte, sendo submetido a cumprir eventual sentença condenatória que seja proferida em seu desfavor.

Não só pode ser submetido, como já foi em diversas ocasiões, sendo possível verificar pelo menos onze casos em que o estado brasileiro foi representado perante a Corte, todos registrados no site oficial do Governo

Federal sob a responsabilidade da "Coordenação de Contenciosos Internacionais de Direitos Humanos".[2]

Esta condenação decorre de prévia análise extensa do direito violado pela Corte, considerando a própria disposição da Convenção Americana e outros tratados internacionais em que os estados sejam signatários e que tenham relação com o caso apresentado.

Apesar de não ser o ponto de enfoque deste artigo, é importante destacar que existe divergência quanto a limitação das fontes de direito que podem ser utilizadas pela Corte na análise do caso.

A visão de Varella:

> *Assim, não concordamos com os autores que consideram que cada Corte internacional deve apenas aplicar o direito relacionado a seu subsistema jurídico, em virtude das limitações de seu mandato. Tampouco vemos razão naqueles que insistem na existência de um conjunto internacional único. Parece-nos mais condizente com a realidade do direito internacional contemporâneo considerar a existência de uma base jurídica internacional, consolidada a partir dos tratados multilaterais de cunho universal, dos costumes, enfim dos princípios jurídicos que são comuns a todas as Cortes. (VARELLA, 2018, p.1085)*

Para a análise proposta, a atenção deve ser voltada não para a extensão do fundamento, mas a própria natureza da sentença condenatória tanto no âmbito internacional (Como a Corte vê sua sentença) quanto no âmbito nacional (como o Brasil vê a sentença proferida pela Corte), de tal forma a finalmente observar a executabilidade da decisão.

---

[2] A ementa de cada caso pode ser verificada no próprio site do Planalto através do link: https://www.gov.br/mdh/pt-br/navegue-por-temas/atuacao-internacional/sentencas-da-corte-interamericana. Acessado em 10 de novembro de 2021.

A sentença proferida pela Corte em competência contenciosa [3] é considerada pela Convenção como definitiva e inapelável (salvo embargos de declaração por força do art. 67 da Convenção), possuindo natureza vinculativa e obrigatória ao Estado-parte condenado sob pena de sanção internacional. (GARCIA; LAZARI, 2014, pg. 501)

Ocorre que para a própria Corte na atribuição de suas funções e regimento, a execução da sentença em face do estado se espera que seja de forma espontânea, ou seja, o próprio estado – sem nenhum procedimento coercitivo – voluntariamente cumpra com a sentença em sua integralidade, conforme se extrai do próprio artigo 68.1 do Pacto de São José da Costa Rica[4].

Não apenas existe previsão neste sentido na Convenção Americana, mas a própria Convenção de Viena sobre o Direitos dos Tratados de 1969 aponta em seu artigo 27 que nenhum Estado pode por motivos de ordem interna deixar de cumprir e efetivas as sentenças de caráter internacional que estão submetidos.

Vale destacar que a reparação pelo Estado diante da condenação, dentro do conceito do direito internacional, é muito mais ampla do que a reparação comumente feita no âmbito do ordenamento jurídico brasileiro.

Muito além da necessidade de compensação pecuniária às vítimas e familiares das vítimas, o conceito de "reparação" na esfera internacional também engloba a necessidade de reparação simbólica, ou seja, não apenas a declaração de culpa que precisa ser feita pelo condenado, mas a necessidade de adotar medidas públicas que impeçam a repetição do caso que violou o direito humano protestado. (BERNARDES, 2011)

---

[3] O Brasil apenas aderiu à competência contenciosa em 1998 através do Decreto Legislativo nº 89/1998, impondo ainda uma cláusula temporal reconhecendo a competência para ser julgado pela Corte a partir da promulgação deste decreto.

[4] "Os Estados Partes na Convenção comprometem-se a cumprir a decisão da Corte em todo caso em que forem partes".

Assim, a Corte possui uma ampla game de possibilidades de condenações em face dos estados signatários, tendo em vista que engloba desde obrigação de fazer, indenizar, e até de declarar a necessidade de alteração de regime interno do estado que está em disparidade com a efetivação dos direitos humanos que estão reconhecidos expressamente no Pacto de San José da Costa Rica.

O ponto de maior polêmica e que posteriormente demonstrará ser o maior entrave na execução das sentenças é justamente a eventual condenação que implique em alteração do sistema jurídico interno do Estado, tendo em vista a extensão da modificação que é imposta.

Este entrave decorre da decisão máxima da Corte muitas vezes vincular o Estado a revogação de normas internas, inaplicabilidade de princípios basilares que sedimentam aquele sistema jurídico, ou até mesmo uma reforma constitucional (PIOVESAN, 2016).

Justamente pela Convenção Americana não fazer distinção entre as espécies de condenação e apontar que todas terão efeito imediato e vinculante ao estado, estas reformas que muitas vezes são de proporções extremas não são realizadas e consequentemente, a sentença perde sua eficácia.

Este é o maior desafio enfrentado pela Corte, considerando que o maior problema atual do Sistema de julgamentos Interamericano de Direitos Humanos é justamente a baixa eficácia das sentenças que são proferidas, tendo em vista o alto número de países signatários que não cumprem em sua integralidade. (GONZÁLEZ-SALZBERG, 2011, pg. 115-133)

Ao ser analisado este prisma sob a ótica do ordenamento jurídico brasileiro, nota-se ainda mais entraves e dificuldades para efetivar a decisão terminativa da Corte.

Primeiramente, é importante destacar que a Constituição Federal de 1988 em seu artigo 105, inciso I, alínea "i" dispõe da necessidade do Superior Tribunal de Justiça processar e homologar sentenças estrangeiras antes de serem executadas com eficácia interna no estado brasileiro.

Contudo, verifica-se que este procedimento de controle constitucional não pode ser associado aos julgamentos proferidos pela Corte Interamericana em face do estado brasileiro.

A razão para afastar este procedimento interno é justamente pela Corte ser um órgão internacional considerado como um Tribunal Internacional em que o Brasil aceitou a sua competência e voluntariamente se submeteu, não se tratando de uma sentença sujeita à soberania de um Estado Estrangeiro. (RESENDE, 2013, pg. 233).

Quanto a natureza das sentenças proferidas pela Corte Interamericana, Valério de Oliveira Mazzuoli ressalta:

> *Sentenças proferidas por "Tribunais internacionais" não se enquadram na roupagem de sentenças estrangeiras a que se referem os dispositivos citados. Por sentença estrangeira deve-se entender aquela proferida por um tribunal afeto à soberania de determinado Estado, e não a emanada de um tribunal internacional que tem jurisdição sobre os seus próprios Estados-partes.*

Nesta seara, o processo de homologação de sentenças estrangeiras previsto na Constituição Federal visa justamente garantir um prévio controle por parte da Corte Superior em razão daquela decisão de mérito ter sido proferida em competência estrangeira sujeita à soberania de outro Estado. Não sendo este o caso da sentença da Corte Interamericana, tratando de uma competência internacional aderida pelo Brasil, não há compatibilidade com o conceito interno de "sentença estrangeira".

É importante destacar que apesar dos estados signatários acabarem por decidir em âmbito interno qual a natureza e processo de eficácia das sentenças da Corte, é irrelevante qualquer obstáculo levantado pela norma interna, de acordo com a doutrina internacional e o próprio entendimento da Corte (PAIVA; HEEMANN, 2017, pg.-53-54)

> *Quem determina o significado e o alcance normativo dos dispositivos da CADH é a própria Corte Interamericana de Direitos Humanos, e não os Estados signatários do tratado internacional, afinal, se os Estados estivessem aptos a determinar qual o verdadeiro alcance dos dispositivos previstos em qualquer dos tratados internacionais de direitos humanos, haveria mais de vinte significados diferentes acerca do direito à vida, direito à integridade pessoal etc., uma vez que cada Estado formularia a sua concepção sobre o assunto, o que ocasionaria uma extrema insegurança jurídica, além de esvaziar a função contenciosa e consulta dos tribunais internacionais de direitos humanos. (PAIVA; HEEMANN, 2017)*

Assim, resta evidente que a decisão da Corte produz efeitos imediatos sob o ordenamento jurídico brasileiro, havendo necessidade de promoção de cumprimento voluntário por parte do estado dentro do seu ordenamento interno, por força do artigo 68 da Convenção, previamente tratado.

A não observância pelo estado signatário implica em nova violação da Convenção tornando passível de novo procedimento contra o mesmo Estado, ou seja, não há uma medida coercitiva, mas a declaração pela Corte da possibilidade de mais uma infração atribuída ao Estado. (CANÇADO TRINDADE, 2002, pg. 612-613)

Justamente este procedimento que sucede à prolação da sentença que demonstra ser pouco eficaz pela ausência de coercitividade por parte da Corte e ausência de interesse de agir pelo Estado, sendo ainda mais latente e fácil de visualizar quando se analisa um caso prático de condenação pela Corte: O caso Vladimir Herzog.

3. O caso Vladimir Herzog e os entraves Constitucionais levantados pela condenação do estado brasileiro;

O caso Vladimir Herzog versou sobre seu assassinato enquanto era jornalista na década de 80 em plena ditadura militar no Brasil que por fundamento de suspeitas de envolvimento com partidos ligados à ideologia socialista, teria sido convocado a comparecer em um centro de controle militar sendo executado no mesmo dia por oficiais das forças armadas. (CIDH, 2015, pg. 5)

Em razão da prisão arbitrária, tortura e execução, diversas medidas judiciais internas ao longo das décadas foram tomadas pelos familiares da vítima, inclusive com o apoio de diversas instituições nacionais como o "Centro Santos Dias da Arquidiocese de São Paulo" e o "Grupo de Tortura Nunca mais de São Paulo". (CIDH, 2015, pg. 5)

Contudo, a Justiça brasileira apenas chegou a condenar o estado ao pagamento de valor pecuniário, não satisfazendo a pretensão da família em ver o estado assumindo a culpabilidade de forma pública pela tortura e execução.

Sem sucesso, os familiares da vítima com o apoio destas instituições dentre outros, apresentaram petição à Comissão Interamericana de Direitos Humanos que foi recebida em 10 de julho de 2009 (CIDH, 2015, pg. 3)

Dentre as violações de direitos apontados pela Comissão, destaca-se:

> *Em 8 de novembro de 2012, a CIDH aprovou o relatório Nº 80/12, pelo qual declarou a admissibilidade da petição em relação aos artigos I (direito à vida, à liberdade, à segurança e integridade da pessoa), IV (direito de liberdade de investigação, opinião, expressão e difusão), XVIII (direito à justiça) e XXV (direito de proteção contra prisão arbitrária) da Declaração Americana; aos direitos consagrados nos artigos 5.1 (direito à integridade pessoal), 8.1 (garantias judiciais) e 25 (proteção judicial) da Convenção Americana, em relação com as obrigações gerais estabelecidas nos artigos 1.1 e 2 do mesmo instrumento; e aos artigos 1, 6 e 8*

> *da Convenção Interamericana para Prevenir e Punir a Tortura.*

Em análise do caso apresentado perante a Comissão Interamericana de Direitos Humanos, foi proferido relatório adotando uma série de medidas que deveriam ser tomadas pelo estado brasileiro, dentre elas, a não aplicabilidade da Lei de Anistia, o afastamento do instituto da prescrição, coisa julgada, princípio da irretroatividade da norma penal, ou qualquer outro dispositivo constitucional ou infraconstitucional que impedisse a persecução criminal dos responsáveis pelos crimes de tortura e morte durante o período de ditadura militar. (CIDH, 2015, pg. 57)

Considerando que o objetivo deste artigo é analisar a eficácia da decisão proferida pela Corte e não pormenorizar a instrução processual do caso de Vladimir Herzog, é relevante saber que o estado brasileiro não cumpriu com recomendação da Comissão, razão pela qual o caso foi submetido à Corte Interamericana para proferir julgamento sobre o mérito.

Diante do relatório da comissão, bem como, através das manifestações feitas pelo peticionante (família da vítima e entidades) e o estado brasileiro, a Corte proferiu sentença condenatória declarando a grave violação de uma série de direitos fundamentais, considerando a atitude do estado brasileiro naquele período como crime contra a humanidade. (CIDH, 2018, pg. 102)

Dentre os dispositivos da sentença proferida, verifica-se que a Corte utilizou todo o desempenho fornecido pelo Pacto de San José da Costa Rica, considerando que condenou o estado brasileiro em: indenizar, obrigação de fazer e de uma forma implícita, a necessidade de uma reforma da legislação interna. (CIDH, 2018, pg. 103)

> *7. O Estado deve reiniciar, com a devida diligência, a investigação e o processo penal cabíveis, pelos fatos ocorridos em 25 de outubro de 1975, para identificar,*

> *processar e, caso seja pertinente, punir os responsáveis pela tortura e morte de Vladimir Herzog, em atenção ao caráter de crime contra a humanidade desses fatos e às respectivas consequências jurídicas para o Direito Internacional, nos termos dos parágrafos 371 e 372 da presente Sentença. Em especial, o Estado deverá observar as normas e requisitos estabelecidos no parágrafo 372 da presente Sentença.*
> *8. O Estado deve adotar as medidas mais idôneas, conforme suas instituições, para que se reconheça, sem exceção, a imprescritibilidade das ações emergentes de crimes contra a humanidade e internacionais, em atenção à presente Sentença e à (CIDH, 2018, pg. 102)*

Ocorre que apesar de grande parte da sentença ser de pleno alcance do estado brasileiro cumprir, verifica-se um grave entrave constitucional em afastar institutos basilares do ordenamento jurídico interno.

O artigo 5º da Constituição Federal de 1988 aponta taxativamente quais são os crimes imprescritíveis e insuscetíveis de graça e anistia em seu inciso XLII, o que em tese abarcaria a prática de tortura durante o período de ditadura militar. (BRASIL, 1988)

Contudo, não seria possível reconhecer a imprescritibilidade pela prática de homicídio ou até mesmo de outros crimes inerentes à responsabilização do agente por omissão, verificando-se a primeira barreira constitucional frente a decisão da Corte.

Em segundo lugar, a Lei de Anistia (Lei nº 6.683/79) impede toda e qualquer persecução criminal dos crimes políticos cometidos na ditadura militar do período de 1961 a 1979. (BRASIL, 1979)

Neste entrave específico, não só no caso Herzog, mas existem outros[5] que a Corte se debruçou e condenou o estado brasileiro e se manifestou expressamente pela nulidade e revogação da Lei de Anistia.

O Supremo Tribunal Federal, contudo, não compartilha a visão da Corte ao tratar do âmbito interno da legislação.

Por ser a corte máxima do ordenamento jurídico e guardião da Constituição, sedimentou tese pela constitucionalidade da Lei de Anistia e consequentemente prejudicada a fundamentação da Corte. (CORREIA; KOWARSKI, 2019, pg. 70)

Diante deste cenário, este é o momento oportuno para apontar o instrumento da Corte que seria aplicado em situações como essa para evitar conflitos de âmbito interno e externo: o controle de convencionalidade.

Este instrumento nada mais é do que a ponte desenvolvida pela Corte Interamericana entre suas decisões e o ordenamento jurídico/legislativo interno do país a que se destina de tal forma a equalizar a transição e garantir sua executabilidade. (ALMEIDA, 2019)

Destina-se a salvaguardar as matérias inerentes aos Direitos Humanos, exigindo que os estados signatários em que se submeteram à sua competência desenvolvam mecanismos próprios que privilegiem e harmonizem os tratados de direitos humanos com a legislação interna vigente. (MAZZUOLI, 2013)

Neste sentido, de fato o estado brasileiro desenvolveu um mecanismo para internalizar os tratados de direitos humanos, garantindo *status* equiparado aos dispositivos constitucionais por força do procedimento descrito no art. 5º, §3º da Constituição Federal.

---

[5] No caso Gomes Lund de 2010, a Corte Interamericana condenou o Brasil por crime lesa-humanidade e se manifestou pela inaplicabilidade e revogação da Lei de Anistia. Relatório em: https://www.corteidh.or.cr/docs/casos/articulos/seriec_219_por.pdf

Ocorre que isso não afasta o controle difuso exercido pelo Supremo Tribunal Federal, o que muitas vezes acaba caindo em divergência quanto a natureza da decisão internacional proferida pela Corte em face da legislação já positivada no âmbito interno.

Fato é que o Supremo Tribunal Federal privilegia os tratados de direitos humanos, mas até certo ponto, considerando que não aplica em sua integralidade a teoria monista que considera a legislação interna e a internacional como um único sistema jurídico, razão pela qual muitas vezes neste choque privilegia as garantias fundamentais previstas na Constituição. (SARLET, 2017, pg. 258)

Neste cenário nebuloso, verifica-se que apesar do Brasil reconhecer como garantia constitucional os Tratados de Direitos Humanos e consequentemente os direitos que a Corte entende como violados em sua sentença, de fato não há uma harmonia e equalização na aplicação, principalmente pela resistência gerada por sua soberania interna que privilegia o texto normativa já positivado antes da chegada daquela decisão internacional.

Assim, com o conflito constitucional preconizado e a baixa aderência de executabilidade da sentença da Corte, o processo permanece parcialmente prejudicado, pendente de uma mutação que favoreça os sistemas e finalmente atinja o ápice harmonioso buscado pela Corte e Comissão Interamericana.

Considerações Finais

O processo internacional de tramitação da Comissão e Corte interamericana de Direitos Humanos, instituído pelo Pacto de San José da Costa Rica demonstra uma completude técnica eficiente quanto a definição de seu cabimento, competência e legitimidade dos atores que poderão atuar como peticionantes.

O Brasil é signatário e se submeteu a competência da Corte, razão pela qual inequivocadamente deve cumprir com as decisões favoráveis e desfavoráveis que são proferidas.

Evidente que não se trata de uma sentença estrangeira, e consequentemente (deveria) possui aplicação imediata e vinculante, seja pelo Poder Judiciário ou em detrimento das autoridades administrativas que precisam executar aquela ordem.

Ocorre que a Corte, privilegiando a cooperação internacional e a soberania dos países, depende de uma execução voluntária e espontânea pelo estado, carecendo de mecanismos coercitivos e restringindo seu papel em declarar eventual descumprimento para legitimar novo processo em face daquele estado por violação à Convenção Americana.

Estes fatores geram uma dependência direta de harmonização pelo estado na aplicação da convenção pelo controle de convencionalidade, esperando que não exista um conflito com a norma interna e se existir, que prevaleça o tratado internacional e o entendimento da Corte.

Contudo, se por um lado de fato o estado é responsável pelo compromisso que assumiu na efetivação destes mecanismos, por outro precisa ser observado o instituto da segurança jurídica que é essencial para a formação e organização que torna aquela sociedade dotada de território de fato um estado.

Caso toda decisão da Corte vise abalar a estrutura básica que sustenta o estado, como sua Constituição, vinculando a eficácia de sua decisão neste ponto específico, evidente que haverá baixíssima adesão pelo condenado, considerando que alterações neste sentido de uma forma abrupta poderiam causar uma instabilidade ainda maior em todo sistema interno.

De fato, a Corte pode e deve exercer a fiscalização e emitir decisões no sentido de salvaguardar os Tratados Internacionais e a garantia dos Direitos

Humanos, contudo, talvez para obter o máximo de desempenho e execução das sentenças condenatórias, seja necessário rever o cumprimento destas decisões e consequentemente a extensão da reforma que vincula o estado condenado a cumprir, ou até mesmo o próprio sistema que adota atualmente de controle de convencionalidade.

Por outro lado, de nada adiantará sem que o estado condenado assuma um compromisso fidedigno de desempenhar a execução daquela sentença internacional que foi harmonizada para ter o máximo de compatibilidade com seu sistema interno, sob pena de todo o trabalho feito pela Corte ser ineficaz

O procedimento de julgamento internacional no âmbito da Corte Interamericana ainda está em evolução, sendo uma conquista louvável da cooperação dos países das Américas, tornando rapidamente um instrumento e símbolo essencial desta união, assim, com o tempo se espera que dificuldades procedimentais como as apontadas neste trabalho, sejam resolvidas da mesma forma que surgiu este sistema: Através da cooperação internacional e a constante valoração do direito internacional.

Referências

ALMEIDA, Bruno Gabriel Leme. **Conter Interamericana de Direitos Humanos: Caso Gelman vs Uruguai e o controle de convencionalidade realizado**. Revista Jud Navigandi, Paraná, 2019.

CIDH. Relatório Nº 71/15, Caso 12.879. Mérito. Vladimir Herzog e outros. Brasil, p. 5, 28 out. 2015.

BERNARDES, Márcia Nina. **Sistema interamericano de direitos humanos como esfera pública transnacional: aspectos jurídicos e políticos da implementação de decisões internacionais**. SUR: Revista Internacional de Direitos Humanos, São Paulo, v. 8, 2011, pg. 135-156.

BRASIL. **Constituição da República Federativa do Brasil de 1988**. DF, 1988.

_______. **Lei de Anistia nº 6.683**. DF, 1979.

CANÇADO TRINDADE, Antônio Augusto. **O Direito Internacional em um Mundo em Transformação**. Rio de Janeiro: Renovar. Pg. 612-613.

CORREIA, Ana Luiza de Moraes; KOWARSKI, Clarissa Brandão. **O estado brasileiro perante as sentenças da corte interamericana de direitos humanos: o caso Vladimir Herzog.** Revista Juris UniToledo, Araçatuba. 2019. Pág. 67-81

GARCIA, Bruna Pinotti; LAZARI, Rafael de. In: Manual de Direitos Humanos. 1ª. Salvador: Ed. JusPodvim, 2014, pp. 391- 532.

GONZÁLEZ-SALZBERG, Damián A. **A implementação das sentenças da Corte na Argentina: uma análise do vaivém jurisprudencial da Corte Suprema da Nação**. SUR – Revista Internacional de Direitos Humanos, São Paulo, v. 8, 2011, pg. 115-133.

MAZZUOLI, Valério; GOMES, Luiz Flávio. **Comentários à Convenção Americana sobre Direitos Humanos**. 2 ed. São Paulo: Revista dos Tribunais, 2009.

_________, Valério. **O Controle jurisdicional de convencionalidade**. 3ª Ed. São Paulo: Editora Revista dos Tribunais, 2013.

PAIVA C. C. & HEEMAN. **Jurisprudência Internacional de Direitos Humanos**. 2ª Ed. Belo Horizonte, 2017, pg. 53-54.

PIOVESAN, Flávia. **Direitos humanos e o direito constitucional internacional**. 16. ed. São Paulo: Saraiva, 2016.

RESENDE, Augusto César. **A executividade das sentenças na Corte Interamericana de Direitos Humanos no Brasil**. 2. Ed. Brasília: Revista de Direito Internacional. 2013

SARLET, Ingo Wolfgang; **Curso de Direito Constitucional**. São Paulo: Saraiva, 6ª Ed. 2017.

VARELLA, M. D. **Direito internacional público**. 8. ed. São Paulo: Saraiva, 2018. E-book.

ASCENSÃO DO REGIME TALIBÃ E A INVOLUÇÃO DOS DIREITOS E LIBERDADES INDIVIDUAIS DAS MULHERES AFEGÃS

Anna Carla Lopes Correia Lima de Freitas [1]*

Introdução

A guerra no Afeganistão foi o conflito liderado pelos Estados Unidos – EUA na região do Oriente Médio, após os atentados do dia 11 de setembro de 2001. Osama Bin Laden, então chefe do grupo extremista *Al-Qaeda*, foi identificado como responsável pelos atos terroristas que culminaram com a morte de mais de três mil pessoas.

Na época, o Talibã – movimento fundamentalista e nacionalista – detinha o controle sobre o Afeganistão desde o ano de 1994, e tinha firmado alianças com grupos terroristas, como a própria *Al-Qaeda*. Além disso, as autoridades na época suspeitavam que Bin Laden estivesse em território afegão, acobertado pelos extremistas, que se recusavam a entregá-lo para o governo americano.

---

[1] * **Anna Carla Lopes Correia Lima de Freitas**:
-Mestranda em Direito Internacional pela Universidade Católica de Santos.
-Especialista em Direito de Família e Sucessões.
-Presidente da Comissão de Família e Sucessão da OAB/PB. Membro da Comissão Nacional de Direito das Sucessões da OAB. Conselheira Estadual da OAB/PB entre 2016 e 2021.
-Vice-presidente da Associação de Direito de Família e Sucessão Seccional Paraíba - ADFAS.
-Advogada militante na área de Família e Sucessão.

Aliando-se aos EUA, outras nações entraram na guerra, como a França, a Alemanha e o Reino Unido, assim, o Talibã foi gradativamente enfraquecido. A coalizão conseguiu estabelecer, em Cabul, capital, e mais populosa cidade do Afeganistão, um governo apoiado pelo Ocidente. Entretanto, o grupo extremista não foi completamente extinto e continuou perpetrando atentados, expandindo sua influência política.

Com o auxílio de soldados afegãos, as forças internacionais tentaram por vários anos conter os nacionalistas talibãs. Com esse intento, os países da Organização do Tratado do Atlântico Norte (OTAN) interviram na região visando proteger seus aliados, contudo começaram um processo de retirada em maio de 2021.

Após quase duas décadas de disputas, os EUA anunciaram a retirada das tropas daquele país. Imediatamente, os extremistas islâmicos Talibãs retomaram o poder em Cabul, o que instaurou uma crise humanitária que atinge de forma ainda mais severa as mulheres daquele país, visto que a volta dos nacionalistas implica na restrição das liberdades individuais, sendo este um dos principais temores do povo afegão.

O advento desse governo totalitário intensifica a preocupação internacional com a situação de vulnerabilidade das mulheres, visto que o regime extremista e fundamentalista encontra no patriarcado a base para mitigar direitos e liberdades femininas, dentre elas, estudar e trabalhar. Essa estrutura de dominação busca impor regras desde as vestimentas das mulheres até os espaços que podem frequentar.

À luz do exposto, o presente estudo tem por finalidade abordar a violação aos Direitos Humanos das mulheres, decorrentes da ascensão do grupo extremista Talibã. Sustenta-se que a restrição ao acesso às liberdades individuais pelas mulheres afegãs impacta diretamente na sociedade feminina do país.

A temática ora debatida é de suma relevância, tendo em vista que os processos envolvendo violência contra mulheres crescem constantemente, alcançando patamares inaceitáveis, endêmicos, o que fere frontalmente os ideais de um Estado Democrático de Direito, bem como os Tratados Internacionais de Direitos Humanos.

Na atual conjuntura política, econômica e social do Afeganistão, as mulheres encontram-se novamente ameaçadas pelo grupo extremista, que impôs regras que ferem as liberdades individuais e os direitos fundamentais. Diante disso, verifica-se a iminente involução e violação dos Direitos Humanos das mulheres afegãs em virtude da perseguição do regime ditatorial Talibã. No tocante aos procedimentos metodológicos, para concretização deste artigo, foi adotada a pesquisa bibliográfica e qualitativa, sendo ainda um estudo descritivo-exploratório.

1. Dos Direitos Humanos

O tema Direitos Humanos tem sido, na atualidade, objeto de inúmeros debates. Muito embora, há vários séculos, os homens tenham consciência de que a pessoa humana tem direitos fundamentais, cujo respeito é indispensável para a sobrevivência do indivíduo em condições dignas e compatíveis com sua natureza. Esses direitos fundamentais nascem com o indivíduo e, por isso, não podem ser considerados como uma concessão do Estado.

É por essa razão que, no preâmbulo da Declaração Universal dos Direitos do Homem (ONU-1948), não se diz que tais direitos são outorgados ou mesmo reconhecidos, preferindo-se inferir que eles são proclamados, numa clara afirmação de que os mesmos pré-existem a todas as instituições políticas e sociais, não podendo, assim, ser retirados ou restringidos por essas instituições (DUDH, 1948).

Conforme ensina Canotilho (2015), Direitos Humanos são os direitos básicos de todos os indivíduos. Sendo estes: a) direitos civis e políticos (exemplos: direito à vida, à propriedade, liberdades de pensamento, de expressão, de crença, igualdade formal, ou seja, de todos perante a lei, direitos à nacionalidade, de participar do governo do seu Estado, podendo votar e ser votado, entre outros, fundamentados no valor liberdade); b) direitos econômicos, sociais e culturais (exemplos: direitos ao trabalho, à educação, à saúde, à previdência social, à moradia, à distribuição de renda, entre outros, fundamentados no valor igualdade de oportunidades); c) direitos difusos e coletivos (exemplos: direito à paz, direito ao progresso, autodeterminação dos povos, direito ambiental, direitos do consumidor, inclusão digital, entre outros, fundamentados no valor fraternidade).

Inicialmente, cumpre mencionar que tanto os direitos humanos, quanto os fundamentais, são expressões que asseguram a liberdade e a igualdade dos indivíduos, sendo que a doutrina entende residir distinção no âmbito de sua aplicação. Ou seja, os direitos humanos no plano internacional (positivados por meio de tratados, convenções, pactos etc.), e os direitos fundamentais no ordenamento interno, assim sua natureza é de norma constitucional positiva (COMPARATO, 2015).

De forma objetiva, pode-se aduzir que tanto os direitos humanos quanto os fundamentais têm a pessoa humana como destinatária da sua proteção. Comparato (2015) esclarece que a expressão "direitos humanos" data do século

XX e veio substituir os termos até então correntes, como “direitos naturais” ou “do homem”.

O mesmo autor revela a evolução desses direitos ao longo da história e insinua o porvir dessa evolução. Essa expressão reflete direitos que estão além daqueles verificados nos textos legais ou nos livros de direito – ela revela direitos morais, que estão no cerne da existência de uma sociedade, de uma coletividade, ou ainda a consciência de uma ética coletiva.

Em tal sentido, os direitos humanos estão ligados intrinsecamente a própria condição humana de seu reconhecimento, sua proteção é resultado de todo um processo histórico de luta contra o poder e da busca de um sentido para a humanidade.

Conforme Antunes (2015, p. 350), pode-se afirmar que “direitos humanos são aqueles direitos que buscam a proteção da pessoa humana tanto em seu aspecto individual como em seu convívio social, em caráter universal”. Portanto, esses direitos abrangem tanto o indivíduo quanto a coletividade no qual está inserido e convive socialmente.

Desse modo, verifica-se que o termo “direitos humanos” denota uma concepção mais ampla, filiando-se à ideia de que existem direitos inerentes ao ser humano que, mesmo não estando expressos em nenhum documento formal normativo, seja em lei internacional, seja em Constituição estatal, não deixando jamais de ser direitos humanos (CANOTILHO, 2015).

Estes, portanto, quando reconhecidos formalmente por alguma lei internacional ou Constituição estatal, adquirem para a coletividade para a qual essas normas jurídicas têm validade, o status de direitos fundamentais, conforme ensina Canotilho (2015).

Percebe-se, com base nas linhas expostas, que a expressão "direitos humanos" abrange um leque muito maior de direitos do que a expressão "direitos fundamentais", o que, contudo, não significa que elas sejam excludentes entre si. Afirma-se que direitos humanos são aqueles direitos que "buscam a proteção da pessoa humana tanto em seu aspecto individual, como em seu convívio social, em caráter universal" (ANTUNES, 2015, p. 340), sem que haja a demarcação de fronteiras políticas, são direitos decorrentes de conquistas históricas e independentes de positivação em uma ordem específica.

2. Evolução do Processo de Reconhecimento e Afirmação dos Direitos Fundamentais

As expressões: "direitos do homem" e "direitos fundamentais" são frequentemente usadas como sinônimas, embora haja distinção entre ambas. Segundo Canotilho (2015, p. 387):

> *Direito do Homem são direitos válidos para todos os povos e em todos os tempos (dimensão jusnaturalista); direitos fundamentais são os direitos do homem, limitados espaço-temporalmente. Os direitos do homem arrancariam da própria natureza humana e daí o seu caráter inviolável, intemporal e universal; os direitos fundamentais seriam os direitos objetivamente vigentes numa ordem jurídica concreta.*

Os direitos fundamentais, de certa forma, são também direitos humanos, no sentido de que seu titular sempre será o ser humano digno de condições apropriadas para sua existência-sobrevivência, reconhecidos e positivados na esfera do direito constitucional positivo, ainda que representado por entes coletivos, tais como grupos, povos, nações e Estado.

Ao passo que a expressão "direitos humanos" guardaria relação com os documentos de direito internacional, por referir-se àquelas posições jurídicas que se reconhecem ao ser humano como tal, independentemente de sua vinculação com determinada ordem constitucional, e que, portanto, aspiram à validade universal para todos os povos e tempos, de tal sorte que revelam um inequívoco caráter supranacional (internacional), conforme esclarece Canotilho (2015).

Antecedente a Declaração Universal dos Direitos Humanos de 1948, houve a declaração do Estado da Virgínia de 1776, conhecida também por proclamar os direitos naturais e positivados inerente ao ser humano, a qual foi de suma importância na fixação de Direitos Individuais, proclamando em seu art. 1º que:

> *Todos os homens são, por natureza, igualmente livres e independentes, e têm certos direitos inatos, dos quais, quando entram em estado de sociedade, não podem por qualquer acordo privar ou despojar de seus pósteros e que são: o gozo da vida e da liberdade com os meios de adquirir e de possuir a propriedade e de buscar e obter felicidade e segurança (FERREIRA FILHO, 2018, p. 141).*

A influência da Declaração supramencionada serviu de base para a Declaração dos Direitos do Homem e do Cidadão de 1789, descrita por Canotilho (2015, p.387) da seguinte forma: “os primeiros pertencem ao homem enquanto tal; os segundos pertencem ao homem enquanto ser social, isto é, como individuo vivendo em sociedade”.

No entendimento de Miranda (2018, p. 7) “os direitos fundamentais são os direitos ou as posições jurídicas subjetivas das pessoas enquanto individual ou institucionalmente consideradas, assentes na Constituição”. Nessa esteira, seja na Constituição formal, seja na Constituição material, os direitos fundamentais são reconhecidos como direitos inalienáveis da pessoa humana, tornando-se indispensável para a existência em um Estado de Direito.

A grande consagração dos direitos fundamentais se deu com a Declaração Universal dos Direitos Humanos, adotada e proclamada pela resolução 217 A (III) da Assembleia Geral das Nações Unidas em 10 de dezembro de 1948, delimitando valores e princípios que devem sobrepor a qualquer Lei, tornando-se norteador supraconstitucional, versando sobre garantias individuais previstas no ordenamento jurídico da maioria das nações, tendo como características: a imprescritibilidade, a irrenunciabilidade, a inviolabilidade, universalidade, efetividade, interdependência e a complementaridade (MIRANDA, 2018).

Preocupando-se fundamentalmente com quatro grupos de direitos individuais e necessários ao bem-estar humano, logo no início da Declaração, são proclamados os direitos individuais de cada pessoa, como direito à vida, à liberdade e a segurança. Há também os direitos do indivíduo em face à sua coletividade, direito à nacionalidade e direito de asilo. Em seguida, os direitos de livre circulação e de residência para, finalmente, o direito de propriedade (DUDH, 1948).

Desde o reconhecimento nas primeiras Declarações, Constituições, os direitos fundamentais percorreram diversas transformações, no que caracteriza o seu conteúdo, quanto no que concerne à sua titularidade, eficácia e efetivação. Costuma-se falar da mutação histórica sofrida pelos direitos fundamentais, contemplando-se três gerações ou (dimensões) de direitos, havendo entendimentos de uma quarta e até mesmo quinta e sexta gerações (BOBBIO, 2012). É de fácil reconhecimento que os "direitos fundamentais nascem quando devem ou podem nascer" caracterizando um processo cumulativo, de complementaridade, e não de alternância (BOBBIO, 2012, p. 03).

Nesta esteira, os direitos fundamentais de 1ª dimensão compreendem os direitos de liberdade, o direito de propriedade, o direito à vida e a integridade física. São os direitos civis e políticos (direito de voto, capacidade eleitoral passiva). Demarcam uma "zona de não intervenção do Estado, e uma esfera de autonomia individual em face do seu poder. Também conhecidos como direitos de resistência ou de oposição perante o Estado" (SARLET, 2018, p. 86).

Sarlet (2018) pontua que na segunda dimensão, se enquadram os direitos de uma coletividade, como o direito de igualdade, os direitos sociais, econômicos e culturais. Conforme o autor, podem ser caracterizados como "liberdades sociais", a exemplo das liberdades de sindicalização, do direito de greve, bem como o reconhecimento de direitos fundamentais aos trabalhadores, tais como: o direito a férias, repouso semanal remunerado, garantia de um salário-mínimo e limitação da jornada de trabalho. A segunda dimensão dos direitos fundamentais passa a ser o marco da evolução dos demais, por corresponderem a reivindicações das classes menos favorecidas, de modo especial da classe operária.

A terceira dimensão compõe os interesses coletivos e/ou difusos (família, povo, nação) ou direitos de solidariedade e fraternidade. Incluem-se os direitos à paz, à autodeterminação dos povos, ao desenvolvimento ao meio ambiente e qualidade de vida, bem como o direito à conservação e utilização do patrimônio histórico e cultural e o direito de comunicação (SARLET, 2018).

Sarlet (2018) adverte que os direitos fundamentais de terceira dimensão não compreendem "uma resposta ao fenômeno denominado de poluição das liberdades" que seria, para ele, o processo de degradação dos direitos e liberdades fundamentais, principalmente frente às novas tecnologias, assumindo assim a relevância do direito ao meio ambiente. No que concerne à existência dos direitos de quarta e quinta dimensão, há dúvidas quanto sua existência, entretanto se faz mencionar a posição de Bonavides (2015, p. 571), segundo o qual:

> *Essa categoria resulta da globalização dos direitos fundamentais e é composta pelos direitos à democracia direta, à informação e ao pluralismo [...] a globalização política na esfera da normatividade jurídica introduz os direitos da quarta geração, que, aliás, correspondem à derradeira fase de institucionalização do Estado Social.*

Noutro giro, para Oliveira (2014) são cinco as gerações existentes, ao se referir a direitos que, apesar de inovadores, considerando-se o momento de seu reconhecimento, em princípio, representam novas possibilidades e ameaças, à privacidade, liberdade, enfim, novas exigências da "proteção da dignidade da pessoa", especialmente no que diz respeito aos direitos de quarta geração (relacionados à biotecnologia).

Ainda que se deva observar o processo de divisibilidade dos direitos em dimensões ou "gerações", vale ressaltar que o seu processo de reconhecimento é de cunho essencialmente dinâmico e dialético, marcado por avanços, retrocessos e contradições (OLIVEIRA, 2014).

Vale ressaltar que os direitos fundamentais são, acima de tudo, frutos de reivindicações concretas, geradas por situações de injustiça e/ou agressão a bens fundamentais do ser humano, dizendo respeito às diversas reações funcionais e críticas que têm sido implementadas na esfera social, política e jurídica ao longo dos anos (SARLET, 2018).

As diversas dimensões firmam o processo de evolução do processo de reconhecimento e afirmação dos direitos fundamentais, revelando que estes constituem categoria materialmente aberta e mutável, ainda que seja possível observar a permanência e uniformidade, a exemplo do direito à vida, à liberdade de locomoção e de pensamento (BOBBIO, 2012).

3. Violência de Gênero: Instrumento de Poder, Repressão e Dominação Masculina

A palavra violência nasce do termo latino *vis*, que significa força (MINAYO; SOUZA, 2013). A violência é um fenômeno extremamente difuso e complexo, cuja definição não pode ter exatidão conceitual, já que é influenciada pela cultura e submetida a uma contínua revisão na medida em que os valores e as normas sociais evoluem (QUEIROZ, 2018).

Sob a ótica de Ribeiro (2019), violência é um comportamento que causa intencionalmente dano ou intimidação moral a outra pessoa. Tal comportamento pode invadir a autonomia, integridade física ou psicológica e mesmo a vida de outro. A OMS/WHO (2019) define a violência como o uso intencional de força física ou poder, real ou como ameaça, contra si mesmo, outra pessoa, ou contra um grupo ou comunidade, que resulte em, ou resultou, ou tem uma alta probabilidade resultar em lesão, morte, dano psicológico, mau desenvolvimento ou privação. Em seu turno, o Ministério da Saúde traz a seguinte definição:

> *A violência consiste em ações humanas individuais, de grupos, classes, nações, que ocasionam a morte de seres humanos, ou afetam sua integridade física, moral, mental ou espiritual. A violência é um fenômeno pluricausal, eminentemente social. Entende-se aqui, que a violência, pela sua natureza complexa, envolve as pessoas na sua totalidade bio-psiquica e social. Porém, o locus de realização da violência é o contexto histórico-social, onde as particularidades biológicas, encontram as idiossincrasias de cada um e as condições socioculturais para a sua manifestação (BRASIL, 2005, p. 04-05).*

O conceito de violência é complexo, implica vários elementos e posições teóricas e variadas maneiras de solução ou eliminação. As ciências partem de diferentes definições de violência, a partir do objeto e do método de sua investigação (RIBEIRO, 2019). Nesse sentido, a violência pode ser descrita, analisada e interpretada pela sociologia, antropologia, biologia, psicologia, psicanálise, teologia e filosofia e pelo direito. Estudiosos discorrem sobre a violência acentuando um ou mais aspectos, porém raramente considerando o fenômeno como uma totalidade (MINAYO; SOUZA, 2013).

A violência contra a mulher é consequência de uma ideologia que define a condição 'feminina' como inferior à condição 'masculina'. As diferenças entre o feminino e o masculino são transformadas em "desigualdades hierárquicas através dos discursos masculinos sobre a mulher, os quais incidem especificamente sobre o corpo da mulher" (CHAUÍ, 1985, p.43).

De acordo com Queiroz (2018, p. 67) "a violência pode assumir distintos papeis e variadas características e tem como definição o exercício da força em contrariedade às leis, para constranger uma pessoa àquilo que ela não queira". Nesse sentido, a atenção às mulheres em situação de violência é considerada uma questão de saúde pública e de Direitos Humanos.

No domínio das relações privadas, a violência contra mulheres é um aspecto fundamental da cultura patriarcal. A violência é um feitio de violência física ou psíquica desempenhada pelos homens contra as mulheres no âmbito das relações de familiaridade, revelando-se um poder de posse de caráter patriarcal. Pode-se pensar na violência como uma condição de castigo que busca acondicionar o comportamento das mulheres e comprovar que estas não têm o domínio de suas próprias vidas (ZUMA, 2017).

A violência manifesta-se de diferentes formas, em distintas circunstâncias e com diversos tipos de atos violentos dirigidos as mulheres. Violência doméstica, violência de gênero e violência contra mulheres são termos utilizados para denominar este grave problema que degrada a integridade feminina. A violência de gênero pode manifestar-se através de violência física, violência psicológica, violência sexual, violência econômica e violência no trabalho.

Segundo estudo da Organização das Nações Unidas (1998 *apud* ZUMA, 2017) "violência contra a mulher" é todo ato de violência praticado por motivos de gênero, dirigido contra uma mulher. Esse tipo de violência sempre existiu, associada a vários fatores, principalmente a questões de gênero. A violência contra as mulheres é um fenômeno multicausal, multidimensional, multifacetado e intransparente (SCHRAIBER; D'OLIVEIRA, 2016). Estes autores entendem que a violência contra a mulher trata-se de:

> *[...] Qualquer ação ou conduta, baseada no gênero, que cause morte, dano ou sofrimento físico, sexual ou psicológico à mulher, tanto no âmbito público como no privado. Entende-se que violência, contra a mulher inclui violência física, sexual e psicológica: a) que tenha ocorrido dentro da família ou unidade doméstica ou em qualquer outra relação interpessoal, em que o agressor conviva ou haja convivido no mesmo domicílio que a mulher e que compreende, entre outras, estupro, violação, maus-tratos e abuso sexual; b) que tenha ocorrido na comunidade e seja perpetrada por qualquer pessoa e que compreende, entre outros, violação, abuso sexual, tortura, maus tratos de pessoas, tráfico de mulheres, prostituição forçada, sequestro e assédio sexual no lugar de trabalho (SCHRAIBER; D'OLIVEIRA, 2016, p. 8).*

Para Fonseca e Lucas (2019), as ocorrências de violência contra a mulher são resultado, preponderantemente, da relação hierárquica ainda existente entre os gêneros, estigmatizada ao longo da história pela diferença de papéis instituídos socialmente a homens e mulheres, fruto da educação diferenciada e relações de poder. O poder e a violência, embora fenômenos distintos, apresentam-se juntos (ARENDT, 2009).

Esta autora considera que onde se combinam, o poder é fundamental e predominante. "A violência não depende de números ou de opiniões, mas sim de formas de implementação, e as formas de implementação da violência, como todos os demais instrumentos, aumentam e multiplicam a força humana" (ARENDT, 2009, p. 29). Desse modo, "a violência tende a destruir o poder e da violência jamais floresce o poder" (ARENDT, 2009, p. 31).

Em consonância, Zaluar (2017) considera a violência como um dispositivo de excesso de poder, uma prática que produz um dano social, atuando em um diagrama espaço-temporal, a qual se instaura com uma justificativa racional, desde a prescrição de estigmas até a exclusão, efetiva ou simbólica. "Esta relação de excesso de poder configura uma relação social inegociável porque atinge a condição de sobrevivência, material ou simbólica, daqueles que são atingidos pelo agente da violência" (ZALUAR, 2017, p. 148).

Chauí (1985) define algumas características da violência. Para esta autora, violência é tudo que age usando a força para ir contra a natureza de algum ser; é todo ato de força contra a espontaneidade, a vontade e a liberdade de alguém; é todo ato de violação de alguém ou de alguma coisa valorizada positivamente por uma sociedade; é todo ato de transgressão contra aquelas coisas e ações que alguém ou uma sociedade definem como justas e como um direito.

A autora supracitada caracteriza a violência como um ato de brutalidade, sevícia e abuso físico e/ou psíquico contra alguém e caracteriza relações intersubjetivas e socais definidas pela opressão, intimação, pelo medo e pelo terror, esta mesma autora acrescenta que a violência se opõe à ética pelo simples e fundamental motivo de que se trata de seres racionais e sensíveis, dotados de linguagem e de liberdade, isto é, não são coisas.

A violência de gênero é aquela exercida pelos homens contra as mulheres, em que o gênero do agressor e o da vítima estão intimamente unidos à explicação desta violência. Dessa forma, afeta as mulheres pelo simples fato de serem deste sexo, ou seja, é a violência perpetrada pelos homens mantendo o controle e o domínio sobre as mulheres (MINAYO; SOUZA, 2013).

> *[...] o termo "gênero" [...] é utilizado para designar relações sociais entre os sexos. Seu uso rejeita explicitamente explicações biológicas, como aquelas que encontram um denominador comum, pra diversas formas de subordinação feminina, nos fatos de que as mulheres têm capacidade de dar à luz e de que os homens têm uma força muscular superior. Em vez disso, o termo "gênero" torna-se uma forma de indicar "construções culturais" – a criação inteiramente social de ideias sobre os papéis adequados aos homens e às mulheres. Trata-se de uma forma de se referir às origens exclusivamente sociais das identidades subjetivas de homens e mulheres (SCOTT, 1995, p. 75).*

O termo gênero, então, é utilizado para demonstrar e sistematizar as desigualdades socioculturais existentes entre mulheres e homens, que repercutem na esfera da vida pública e privada de ambos os sexos, impondo-lhes papéis sociais diferenciados que foram construídos historicamente, e criaram polos de dominação e submissão. "Impõe-se o poder masculino em detrimento dos direitos das mulheres, subordinando-as às necessidades pessoais e políticas dos homens, tornando-as dependentes" (TELES; MELO, 2013, p. 16).

Segundo Chauí (1985), a violência contra a mulher é consequência de uma ideologia que define a condição 'feminina' como inferior à condição 'masculina'. As diferenças entre o feminino e o masculino são transformadas em desigualdades hierárquicas através dos discursos masculinos sobre a mulher, os quais incidem especificamente sobre o corpo da mulher (CHAUI, 1985, p.43). Nesta mesma direção, Silva (2019) assinala que as relações delineadas entre homens e mulheres são, quase sempre, de poder, pois a ideologia que predomina tem a função de propagar e ratificar a supremacia masculina em detrimento da suposta inferioridade feminina. A mulher, em geral, é o polo dominado desta relação, não aceitando como natural o lugar e o papel a ela impostos pela sociedade.

Chauí (1985) reflete que as mulheres são 'cúmplices' da violência que recebem e que praticam, mas sua cumplicidade não se baseia em uma escolha ou vontade, já que a subjetividade feminina é destituída de autonomia. As mulheres são 'cúmplices' da violência e contribuem para a reprodução de sua 'dependência' porque **são instrumentos da dominação masculina** (CHAUI, 1985, p. 47- 48, grifo nosso).

Em 1993, a Conferência das Nações Unidas sobre Direitos Humanos, realizada em Viena, reconheceu formalmente a violência contra as mulheres como uma das formas de violação dos direitos humanos. Em 1994, ocorreu a Convenção Interamericana para Prevenir, Punir e Erradicar a Violência contra a Mulher, mais conhecida como Convenção de Belém do Pará. Desde então, os governos dos países-membros da Organização das Nações Unidas - ONU e as organizações da sociedade civil trabalham para a erradicação desse tipo de violência.

4. Regime Talibã e a Involução dos Direitos e Liberdades Individuais das Mulheres Afegãs

Desde o início do século XX, as mulheres afegãs têm se mobilizado para conseguir mais liberdade e igualdade de gênero. Contudo, ao longo dos anos, seus esforços foram contrapostos por medidas radicais tomadas por homens para detê-las (DEMANT, 2019). Quando o Talibã assumiu o poder pela primeira vez no país, no ano de 1996, o direito das mulheres à educação e ao emprego foi totalmente restrito.

Ascensão do Regime Talibã e a Involução dos Direitos e Liberdades Individuais das Mulheres Afegãs

O Talibã, regime que possui características político-religiosas, foi formado no Afeganistão entre os anos de 1976 e 1986. A origem do grupo está relacionada ao fim da Guerra Fria (BODANSKY, 2018). Em 1996, o grupo assumiu o poder, permanecendo até 2001, quando foi instaurado um governo civil, após os atentados do *World Trade Center*. A partir deste ano, as mulheres assumiram uma posição de mais prestígio no país, exercendo, inclusive, cargos públicos.

No entanto, em 2021, o grupo extremista reassumiu o poder novamente. De acordo com a Organização das Nações Unidas - ONU, nos primeiros seis meses do ano, o número de mulheres e meninas mortas e feridas dobrou no Afeganistão, em comparação com o mesmo período de 2020 (ONU, 2020).

Aproximadamente 80% dos refugiados afegãos são mulheres e crianças. Os dados são da Organização das Nações Unidas (ONU, 2020), divulgados após a retirada das tropas americanas do Afeganistão, em 2021. A volta do regime Talibã ao país evidenciou a fragilidade de um sistema que domina as mulheres e educa os meninos em escolas fundamentalistas. No dia 22 de março, centenas de meninas com mais de 12 anos foram mandadas de volta para as casas quando tentaram iniciar os estudos no ano letivo de 2022.

No início de 2022, o governo do país havia prometido que a educação de meninas estaria garantida e haveria escolas específicas para o ensino dessas alunas. Entretanto, a decisão foi anulada pelo Talibã, que ordenou que as escolas permanecessem fechadas (BBC, 2022).

Os motivos para a decisão foram causados por conflitos internos do próprio Governo do Talibã. No anúncio oficial, o governo informou que as estudantes devem aguardar um novo plano para a educação de mulheres, que será montado de acordo com "tradição e cultura da Sharia e afegã" (BBC, 2022).

Originadas no Paquistão, as escolas muçulmanas são responsáveis pela educação básica somente dos meninos também em vários países islâmicos, dentre eles o Afeganistão. As meninas não têm direito a estudar na maioria dessas nações. Dessa forma, é disseminada a ideologia de discriminação de gênero (BODANSKY, 2018).

Durante o regime anterior do Talibã (1996-2001), a única área em que as mulheres podiam estudar e desenvolver uma carreira era na área de saúde. Essa exceção acontecia porque, em parte, apenas mulheres poderiam atender outras mulheres (DOUGHERTY; PFALTZGRAFF, 2018).

Atualmente, o Afeganistão possui um dos piores índices de alfabetização do mundo, onde menos de 80 meninas para cada 100 meninos concluem o primário, de acordo com o *Global Education Monitoring Report* 2020 (Relatório Global de Monitoramento da Educação), da UNESCO (2020). Uma das consequências desse déficit é o difícil acesso ao ensino superior no país.

Dentre as violações aos direitos e liberdades, faz-se imperioso registrar que entre 1996 e 2001 as mulheres não podiam trabalhar e eram obrigadas a vestirem roupas que cobrissem o corpo inteiro, deixando apenas os olhos à mostra, conhecidas como burcas (DOUGHERTY; PFALTZGRAFF, 2018).

Também não era permitido às mulheres andarem nas ruas desacompanhadas. Caso precisassem sair, um parente próximo do sexo masculino deveria acompanhá-las. Ademais, eram proibidas de serem atendidas por médicos homens – um total banimento da vida pública (DEMANT, 2019). A possível violação as regras acarretavam punições severas, como prisões, torturas ou até a morte. As mulheres costumavam ser açoitadas publicamente ou executadas.

Teme-se, na atualidade, que o grupo extremista retome essas práticas nefastas que vão de encontro a dignidade humana e representam verdadeiros crimes. Apesar de alegarem ter mudado de postura em relação aos direitos das mulheres, as ações mais recentes do Talibã demonstram exatamente o contrário.

Além de artistas, após a ascensão do Talibã no ano 2021, muitas atletas deixaram o país, especialmente após a brutal morte da jogadora Mahjabin Hakimi, da seleção de vôlei feminino, decapitada por extremistas. A seleção feminina de futebol, criada em 2007, conseguiu sair do Afeganistão, acompanhada de seus familiares, com o apoio do governo da Austrália (BBC, 2022).

Outra categoria de mulheres extremamente ameaçada são as juízas. Além de enfrentarem os riscos dos membros do Talibã, elas também correm perigo porque muitos dos homens que condenaram por crimes graves foram libertados quando o grupo retomou o país.

Em julho de 2021, depois que os líderes do Talibã assumiram o controle das províncias de Badakhshan e Takhar, foi emitida uma ordem para os líderes religiosos locais fornecerem uma lista de meninas com mais de 15 anos e viúvas com menos de 45 para casamento forçado com guerrilheiros do governo fundamentalista (BBC, 2022).

Conforme Davis (2018), o controle sobre os corpos das mulheres, o que podem vestir, onde podem ir, o que podem fazer, é uma maneira concreta e ao mesmo tempo ideológica de manter as estruturas de dominação e exploração. Diversos filósofos e historiadores já pesquisaram situações políticas que prejudicam as mulheres.

Beauvoir (1967) afirmou que basta uma crise política, econômica ou religiosa para que os direitos das mulheres sejam questionados e colocados em xeque. O caso do Afeganistão representa na atualidade esta afirmação. Tão logo reassumiu o poder, o Talibã impôs uma série de restrições aos direitos das mulheres, numa afronta explícita aos direitos humanos, e que impacta a todos em nível global.

Posto isto, ratifica-se a importância do combate aos regimes totalitários. É preciso resistir, demonstrar indignação, se posicionar diante de tal situação, pois quando os direitos humanos são violados em uma parte do mundo, cedo ou tarde, isto afetará o mundo todo. Como preconiza Davis (2018), filósofa e ativista do século XXI, a liberdade é uma luta constante.

Considerações Finais

Em agosto de 2021, o Talibã assumiu o controle do Afeganistão depois de 20 anos fora do poder. Na ocasião, a comunidade internacional voltou à atenção para a situação vivida pelos afegãos – principalmente para as mulheres. O histórico de brutal repressão de gênero por parte do Talibã trouxe de volta uma série de incertezas em relação à manutenção de direitos básicos das afegãs, entre eles, o acesso à educação. Após mais de seis meses de governo, observa-se um crescente desrespeito e violação as liberdades femininas.

Ao assumir o poder em 2022, o Talibã prometeu que o tratamento conferido às mulheres seria menos rigoroso do que aquele que caracterizou o governo no ano de 1996 a 2001, quando elas foram impedidas de trabalhar, estudar e eram obrigadas a usar burcas que cobriam completamente seus corpos. Um porta-voz do grupo chegou a conceder entrevista a uma jornalista que não usava burca, na qual afirmou que as mulheres poderiam trabalhar.

Contudo, o que se observou com a ascensão do grupo ao poder, foi um verdadeiro retrocesso e desrespeito aos direitos e liberdades das mulheres naquele país. O Talibã vem promovendo nos últimos meses uma gradual exclusão das mulheres na esfera pública do Afeganistão.

As ações envolvem a proibição de estarem em locais públicos sem a companhia de um homem, restrições profissionais e limitações ao acesso à educação. É fundamental que os organismos internacionais busquem medidas concretas para assegurar a proteção e garantia dos direitos fundamentais das mulheres naquela região, uma vez que tais restrições se configuram em verdadeiras violações aos direitos humanos, que causam impactos irreparáveis a vida das afegãs.

Referências

ANTUNES, Ruy Barbedo**.** Direitos Fundamentais e Direitos Humanos: a questão relacional. **Rev. Esc. Direito**, Pelotas, v. 6, n. 1, p. 331-356, jan./dez., 2015.

ARENDT, Hanna. **Da violência.** Trad. André de Macedo Duarte. Rio de Janeiro: Civilização Brasileira, 2009.

BEAUVOIR, Simone de. **O Segundo Sexo**: a experiência da vida. Tradução de Sérgio Milliet.2 ed. Paris, Gallimard, 1967.

BOBBIO, Norberto. **A era dos direitos**. Rio de Janeiro: Campos, 2012.

BODANSKY, Yossef. **Bin Laden:** O homem que declarou guerra à América. São Paulo: Ediouro, 2018.

BONAVIDES, Paulo. **Curso de Direito Constitucional**. 16. ed. São Paulo: Malheiros, 2015.

BBC History. **The Taliban resurgence in Afghanistan**. Disponível em: https://www.bbc.co.uk/history/events/the_taliban_resurgence_in_afghanistan. 2022. Acesso em: 12 mai. 2022.

CANOTILHO, José Joaquim Gomes. **Direito constitucional e teoria da constituição**. 7. ed. Coimbra, Portugal: Almedina, 2015.

COMPARATO, Fábio Konder. **A afirmação histórica dos direitos humanos**. 4. ed. São Paulo: Saraiva, 2015.

CHAUÍ, M. Participando do debate sobre mulher e violência. In: FRANCHETTO, B.; CAVALCANTI, M. L. V. C. & HEILBORN, M. L. (Orgs.). **Perspectivas antropológicas da mulher.** São Paulo: Zahar Editores, 1985.

DAVIS, Ângela. **A liberdade e uma luta constante**. São Paulo: Boitempo, 2018.

DECLARAÇÃO UNIVERSAL DOS DIREITOS HUMANOS. (DUDH) Assembleia Geral da ONU. (1948). "**Declaração Universal dos Direitos Humanos**" (217 [III] A). Paris, 1948.

DEMANT, Peter. **O mundo muçulmano**. 2. ed. São Paulo: Contexto, 2019.

DOUGHERTY, James E.; PFALTZGRAFF Jr., Robert L. **Relações internacionais**: as teorias em confronto. Lisboa: Gradiva Publicações, 2018.

FERREIRA FILHO, Manoel G. **Liberdades Públicas.** São Paulo: Saraiva, 2018.

FONSECA, Paula Martinez da; LUCAS, Taiane Nascimento Souza. **Violência Doméstica contra a Mulher e suas Consequências Psicológicas**. Trabalho apresentado ao Curso de Psicologia da Escola Bahiana de Medicina e Saúde Pública, Fundação Bahiana para o Desenvolvimento das Ciências. Salvador, 2019. Disponível em: http://newpsi.bvs-psi.org.br/tcc/152.pdf. Acesso em: 10 mai. 2022.

GÓMEZ, José M. As ambivalências da globalização dos direitos humanos. Gênese, avanços, retrocessos. In: **Os conflitos internacionais em múltiplas dimensões**. São Paulo: UNESP, 2019.

MINAYO, S; SOUZA, R; Org. **Violência sob o olhar da saúde**. Rio de Janeiro: Fiocruz; 2013.

MIRANDA, Jorge. **Manual de direito constitucional**. 10. ed. Portugal: Coimbra, 2018.

OLIVEIRA, José Alcebíades de. **Teoria Jurídica e Novos Direitos**. Rio de Janeiro: Lumen Júris. 2014.

UNESCO. Organização das Nações Unidas para a Educação, a Ciência e a Cultura. **Building peace in the minds of men and women**, UNESCO. Disponível em: https://news.un.org/pt/story/2013/05/1438301-unesco-defende-garantias-contra-violencia-para-mulheres-no-afeganistao. Acesso em: 12 mai. 2022.

QUEIROZ, T. D. **Educar, uma lição de amor**. São Paulo: Gente, 2018.

RIBEIRO, Hellynara Relycya Fernandes. **Violência:** uma epidemia silenciosa. 2019. Disponível em: http://www.c7s.com.br/projetoinformatica/turma-4/ngs/980-violencia-uma-epidemia-silenciosa. Acesso em: 11 mai. 2022.

SARLET, Ingo. **Constituição, direitos fundamentais e direito privado**. Porto Alegre: Livraria do Advogado Editora, 2018.

SILVA, V.M. **Violência Contra a Mulher**: quem mete a colher? São Paulo: Cortez, 2019.

SCOTT, Joan. Gênero: uma categoria útil de análise histórica. **Educação e Realidade,** v. 20, n.2, Porto Alegre, Jul-Dez, 1995.

SCHRAIBER, Lilia Blima; D´OLIVEIRA, Ana Flávia P. L. Projeto Gênero, Violência e Direitos Humanos – Novas Questões para o Campo da Saúde. **Coletivo Feminista Sexualidade e Saúde**, 2016.

TELES; Maria Amélia de Almeida; MELO, Mônica de. **O que é violência contra a mulher.** São Paulo: Brasiliense, 2013.

ZALUAR, Alba, LEAL, Maria Cristina, **Revista brasileira de ciências sociais**, vol: 16, n. 45, Violência extra e intramuros, 2017.

ZUMA, C. E. Em busca de uma rede comunitária para a prevenção da violência na família. In: **Anais do III Congresso Brasileiro de Terapia Comunitária.** 2017. Fortaleza. Disponível:<http://www.noos.org.br/acervo/Embu.pdf>. Acesso em: 10 mai. 2022.

DO MÍNIMO EXISTENCIAL E O DIREITO INTERNACIONAL

Adriana de Sousa Barbosa [1*]

Os chamados direitos fundamentais, também chamados de direitos sociais, foram incluídos e outorgados na carta magna de 1988. Esse fato representou um avanço na busca pela igualdade social, que constitui um dos objetivos fundamentais da República Federativa do Brasil.

A pessoa natural com suas características, intrinsecamente é dotada de inteligência, consciência e vontade. Há uma dignidade humana que deve ser reconhecida e a preservação desta faz parte dos direitos humanos. O crescimento econômico e o progresso material de um povo têm um valor negativo se forem conquistados à custa de ofensas da dignidade humana.

A pessoa consciente do que é e do que os outros são, consegue perceber a realidade que não teria nascido e sobrevivido sem amparo e a ajuda de muitos.

O Estado Social surgiu da necessidade de assegurar as condições mínimas para a vida dos indivíduos, promovendo sua participação ativa na sociedade.

[1] * **Adriana de Sousa Barbosa**:
-Oficial de Registro Civil Com Funções Notariais da Comarca de Feira de Santana/BA.
-Doutoranda em Direito na Universidade Kennedy, Buenos Aires, Argentina.
-Mestranda em Direitos Humanos pela Universidade Católica de Santos (UNISANTOS).
-Pós-Graduada em Direito Constitucional pela Universidade Estácio de Sá (2009) e em Direito Processual Civil pela FAVENI.
-Foi Professora de Direito Constitucional e Direito Civil da Faculdade Osman Lins, Vitória de Santo Antão/PE.

Afinal, quanto mais desenvolvido o indivíduo for, menos dependente do Estado ele se torna, interferindo no destino de sua própria existência bem como dos demais que tem influência e convívio.

Não se pode confundir direitos humanos com direitos fundamentais, há diferenças entre ambos: os direitos humanos não estão positivados no ordenamento enquanto que os direitos fundamentais estão positivados na Constituição Federal; nos direitos humanos há intenção de universalidade e nos direitos fundamentais há o vínculo apenas do Estado na ordem jurídica concreta; os direitos humanos podem ser vistos como abstratos e os direitos fundamentais são garantias jurídicas concretas e delimitadas, assim podem ser acionadas pelas partes interessadas; os direitos humanos foram concebidos sempre com fins ou programas morais de reforma ou então, de ação política enquanto os direitos fundamentais são garantias jurisdicional (GUERRA, 2017).

Os direitos fundamentais são alicerces de uma sociedade organizada pela política e juridicamente através de uma Constituição Federal. Portanto faz parte da constituição formal e material, evidenciando a importância subjetiva e objetiva para construção de uma ordem dentro da sociedade (GUERRA, 2017).

A dignidade da pessoa humana não é apenas um direito fundamental em si mesma, mas constitui a base real dos direitos fundamentais.

Resulta que nenhum dos direitos estabelecidos nesta Carta pode ser utilizado para prejudicar a dignidade de outra pessoa e que a dignidade da pessoa humana faz parte do conteúdo dos direitos estabelecidos nesta Carta. Portanto, deve ser respeitado, mesmo quando um direito é restrito.

O pensamento liberal lançou as bases para o surgimento do Estado de Direito que, embora seja continuamente moldado, se apoia nos pilares das construções jurídico-dogmáticas em todo o mundo.

Assim, costumamos debater e nos aprofundar em algumas noções clássicas como a pertença dos indivíduos a um Estado e o direito como mandamento que visa o interesse geral de uma comunidade nacional.

Porém, na atualidade vivemos as profundas transformações decorrentes do processo de globalização. É preciso observar que, apenas para apontar algumas dessas mudanças, as necessidades humanas têm se manifestado em nível global, não mais em âmbito nacional. Dessa forma, atores não estatais emergiram com grande força no cenário mundial. E, paralelamente às culturas nacionais, surgiram as cosmopolitas.

Além disso, as constantes migrações se colocam contra a antiga adoção de uma nacionalidade, a ideia de permanecer em um único país. Com isso, o Estado-Nação é desafiado em sua hegemonia ao ter que conceber a cidadania em seu aspecto mais amplo, não apenas como vínculo de fidelidade política, como o foi em sua origem.

Dessa forma, imagina-se uma nova forma de Estado que incorpore os valores comuns a todos os sujeitos de uma comunidade global e promova a defesa dos direitos humanos com o apoio da dignidade da pessoa humana.

Seguindo essa linha de pensamento, este artigo tenta descobrir alguns dos vínculos entre cidadania e direitos humanos, tendo como premissa o âmbito da dignidade humana, desde a ascensão dos direitos humanos nos debates jurídicos modernos em todo o mundo, tendo como consenso que a dignidade humana é o vetor mais importante nas legislações vigentes nos Estados. Com isso, tendo como ponto de partida neste estudo a intrinsecamente conexão entre dignidade e direitos humanos, buscaremos demonstrar que a dignidade está sendo concretizada à medida que os direitos humanos se efetivam.

Nesse sentido, é necessário investigar sua evolução no pensamento jurídico e filosófico para desmistificar seu conteúdo e mostrar como ele se tornou a principal base dos direitos humanos. Como fundamento dos direitos humanos, a dignidade também irradia seus efeitos nos conteúdos da cidadania.

É com o desenvolvimento dos direitos humanos nos séculos XX e XXI, no campo internacional e oportunamente incorporados no campo interno, assistimos a múltiplos direitos conjugados com a dignidade da pessoa humana. Ao mesmo tempo, o conteúdo da cidadania teve que ser revisto para incluir essas novas variáveis.

Desse modo, faz-se necessário indagar - quais novos valores foram agregados ao conceito de cidadania? Qual é a dimensão atual da cidadania? Para responder a todas essas questões, é útil pensar sobre o conceito atual de cidadania e seu alcance tendo como parâmetro de comparação a cidadania tal como foi moldada no Estado Liberal Burguês.

A análise da cidadania em suas dimensões é complementada pela visão cosmopolita da cidadania atual.

Nesse ritmo, é necessário analisar a influência do fenômeno da globalização na cidadania, agregando o paradigma contundente da cooperação internacional e da soberania compartilhada entre Estados no interesse dos indivíduos. O indivíduo global encontra-se em um cenário internacional cosmopolita, frequentemente sendo colocado contra novos desafios, principalmente ao ter sua cidadania fragilizada.

Disto emerge uma terceira e última questão a ser colocada no presente trabalho, ou seja, especificamente sobre a forma como a cidadania pode ser exercida, levando em consideração suas dimensões ampliadas no mundo globalizado. Essa questão é crucial dadas as diversas transformações pelas quais passou o Estado no século XX, e seus efeitos no século XXI, principalmente com o desenvolvimento do direito internacional dos direitos humanos, o surgimento da ONU e de outros organismos internacionais regionais.

Do Mínimo Existencial e o Direito Internacional

O enfoque no exercício da cidadania no mundo global é fundamental para compreender o processo de cidadania e sua efetividade em todos os seus aspectos, que de forma complementar - ou o princípio da complementaridade - engloba os três sistemas de proteção dos direitos humanos atualmente vigentes.

A dignidade, seria um valor moral interno, a dignidade não teria equivalente, não seria possível substituí-la como se faria com um produto.

Dessa observação vem a citação de Kant considerando o homem como o fim, não o meio para alcançar algum fim. Na famosa citação de Kant "o homem, e em geral todo ser racional, existe como um fim em si mesmo, não apenas como um meio para qualquer uso desta ou daquela vontade".

Na mesma linha, não podemos deixar de mencionar a proposição de Sarlet para uma concepção jurídica da dignidade da pessoa humana.

Assim, a dignidade que vem de fora é aquela formada pelos instrumentos, em geral, oferecidos para que a pessoa tenha uma vida digna. Já a dignidade que vem de dentro é a "dignidade pessoal", que cresce com a autoestima.

Não obstante esta constatação, é importante sublinhar que cada indivíduo é um agente legítimo para buscar a sua dignidade perante o Estado ou outro sujeito, a dignidade do exterior, simplesmente por ser pessoa humana.

Porém, com a evolução das normas de proteção dos direitos humanos, observa-se que a conexão entre dignidade e direitos humanos, ou seja, a visão de que dignidade vem com direitos, só se deu com o advento de grandes textos e constituições internacionais após a Segunda Guerra Mundial.

O ressurgimento jurídico da dignidade no pós-guerra mostrou uma reação histórica contra o regime totalitário que violava a própria dignidade de maneira planejada ao tentar realizar um projeto de definição do "ser humano" por seus predicados.

Nessa perspectiva, o objetivo era enquadrar o ser humano - considerado um problema - em uma definição. Se não se encaixasse na moldura, seu destino seria eliminado.

Essa concepção de exclusão do ser humano que perdurou durante o domínio nazista foi um terreno fértil para a ascensão da dignidade como valor fundamental da pessoa.

Assim, a noção de Direito Internacional dos Direitos Humanos foi formada a partir do Tribunal de Nuremberg, da criação da ONU e da apresentação da Declaração Universal dos Direitos Humanos. Podemos ter como premissa que os direitos humanos visam a satisfação das necessidades humanas individuais. Estes podem ser exigidos por grupos socialmente mobilizados que expressam necessidades comuns a fim de reconhecer tais direitos (NADER, 2004).

É nesse sentido que, ao transpormos o binômio necessidade / direito para o processo de elaboração das normas jurídicas, constatamos que essas normas ao estabelecerem certos limites à liberdade humana por meio da imposição de comportamentos denotam o cumprimento social por meio de um processo intrínseco. de acomodação natural.

Traçando um paralelo com o estudo dos elementos que compõem os direitos humanos podemos relacionar o que foi dito com o aspecto de sua história, que mostra a cadeia evolutiva dos direitos ao seu tempo.

Portanto, em consonância com as explicações de Silveira e Contipelli (2008), é importante destacar que a evolução histórica dos direitos humanos se dá por meio de um processo denominado "dinamogênese", que representa um processo pelo qual a comunidade social em um determinado momento reconhece como valioso algo que funda o direito humano.

Segundo o estudioso "este valor traz uma nova graduação à dignidade da pessoa humana, que supõe uma nova orientação e um novo conteúdo, como consequência de sua vinculação com o parâmetro atual".

A dignidade da pessoa humana se concretizará pelo valor preponderante em um determinado tempo histórico, por exemplo, a liberdade, a igualdade e a solidariedade. Assim, na Declaração Universal dos Direitos Humanos de 1948, importante instrumento dos direitos humanos universais e principal difusor de valores em todo o mundo, a dignidade da pessoa humana ocupou o lugar de pilar de todos os direitos nela consagrados.

No preâmbulo, a dignidade foi coroada como base de todos os direitos humanos, uma vez que era reconhecida a todos os membros da família humana e seus direitos iguais e inalienáveis. No primeiro artigo, afirma-se que todo ser humano, desde que tenha razão e consciência, nasce igualmente livre em dignidade e direitos.

Do ponto de vista das ordens domésticas, a dignidade humana aparece hoje em vários textos constitucionais.

A Constituição de Weimar no Artigo 151 já proclamava que "a ordem da vida econômica deve corresponder aos princípios da justiça para garantir a todos uma existência digna".

E no Brasil, podemos dizer que está no epicentro do ordenamento jurídico, pois a constituinte de 1988 a elevou à categoria de princípio fundamental da República, pilar estrutural da organização do Estado, conforme dispõe o art. 1º, inciso III. da Constituição da República Federativa do Brasil de 1988. Esse princípio irradia-se para todas as demais seções da Constituição, a exemplo do artigo 170, caput.

Assim, podemos inferir que a dignidade como critério de integração da ordem constitucional vigente é adequada para ser o fundamento dos direitos humanos, uma vez que foi incorporada ao sistema constitucional interno formando a atual lista de direitos fundamentais.

Tradicionalmente, desde o Estado moderno, a cidadania possui um viés político, identificado em um contexto de participação individual na formação da vontade da sociedade e de seu governo. Já os direitos humanos, como observamos, tiveram sua origem e fundamento no pensamento jusnaturalista, com ênfase na dignidade humana, o que resultou em um rol de direitos inerentes ao ser humano.

Estes devem ser protegidos de violações de todo tipo, pelo simples fato de que o indivíduo existe como pessoa humana.

Note-se que esses conceitos surgiram com conotações próprias, ressaltando que no pensamento original os direitos humanos eram inerentes ao ser humano independente da vontade da sociedade política.

Por meio de uma série de mudanças históricas e culturais, esses conceitos, a princípio independentes, passaram a ser analisados em conjunto, convergindo em um único eixo de ideias pautadas na premissa de que as pessoas deveriam ter direitos essenciais à sua vida com dignidade, e que também teriam. Será cada vez mais importante a ampliação desses direitos.

Foi, portanto, com base na dignidade humana, que houve uma forte aproximação entre o discurso dos direitos humanos e da cidadania. A Revolução Francesa foi um marco importante, no qual houve uma notável expansão na concepção de cidadania para abranger os direitos básicos do homem.

A proclamação na Assembleia Nacional Francesa, em 1789, da Declaração dos Direitos do Homem e do Cidadão, com pretensões universalizantes, definiu a cidadania moderna, afirmando que todo homem tem direitos inerentes à sua natureza, os quais são exercidos no âmbito da cidadania.

No entanto, observamos ao longo dos séculos seguintes um processo histórico de ampliação dos direitos humanos sendo escrito em diversos documentos no campo internacional, conquistando espaços regionais e mundiais.

Portanto, o Estado passou a ter a obrigação de cumprir direitos e garantir, por exemplo, emprego, remuneração justa, educação, saúde, visando condições mínimas de vida ao cidadão.

Desta forma, o "padrão mínimo de existência" integrou o conceito de cidadania, portanto, há um direito a condições mínimas de vida e dignidade que não podem escapar à intervenção do Estado para se tornarem realidade.

A luta pela liberdade individual foi um parâmetro para o desenvolvimento dos direitos de primeira dimensão e a necessidade de igualdade na distribuição entre os homens foi a base para os direitos de segunda dimensão. Neste momento histórico, não podemos esquecer que, para além destes, surgiram os direitos de solidariedade, direitos de terceira dimensão, fruto de uma relação mútua entre pessoas ou grupos com necessidades comuns, como o meio ambiente, a paz entre os povos, o desenvolvimento dos Estados entre outras.

A ideia de solidariedade tem especial relevância para o cumprimento de obrigações fundamentais, uma vez que a cidadania implica uma relação subjetiva que engloba direitos e deveres dos homens.

Nessa linha, expressamos a ideia de solidariedade como tendência a nos convocar para a defesa coletiva do que é comum a todos nós, como é com o meio ambiente e o desenvolvimento.

Considerando a conexão entre cidadania e direitos humanos, entendemos que o conceito de cidadania engloba direitos civis, políticos, sociais, econômicos e difusos, que se incorporam, se expressam e se vinculam aos valores de liberdade, justiça, igualdade e solidariedade.

A cidadania é um direito de ter direitos, porque a igualdade em dignidade nos direitos humanos não é uma concessão. É construída na vida coletiva, o que requer o acesso ao espaço público. É esse acesso que permite a construção de um mundo comum por meio do processo de afirmação dos direitos humanos.

Continuando, também se pode extrair que a cidadania passou a ser todos os direitos conferidos ao cidadão, não só porque a dignidade exige o cumprimento desses direitos, mas também o contrário, visto que é ela própria condição para o exercício da cidadania.

Para isso, continuamos enfatizando que os direitos humanos em suas dimensões incorporam direitos essenciais dentro da sociedade. Ou seja, criam oportunidades para o desenvolvimento da cidadania e também contribuem para a sua efetivação.

Com efeito, as decisões dentro do Estado existem de forma autônoma, mas não podem ser descoladas das contingências do ambiente externo, ou seja, não podem ser descontextualizadas do cenário internacional.

Num contexto de globalização em que as fronteiras são fragilizadas pelo amplo e rápido acesso à informação, é imprescindível que os Estados soberanos venham, na mesma velocidade, se ajustar à nova sociedade global cada vez mais consolidada.

É sempre bom lembrar, como afirma Bobbio, a tarefa mais importante do nosso tempo, em relação aos direitos humanos, não é embasá-los, mas protegê-los (BOBBIO, 1992).

O incansável esforço de raciocínio dificultou muito a sua proteção, considerando os diversos conceitos teóricos, de diversas fontes religiosas, políticas e ideológicas. Superada essa questão, caminhamos para um consenso que universaliza tais direitos, ao expandir de forma complementar e integrativa os sistemas de proteção: (1) nacional-nacional, (2) internacional-regional e (3) internacional-universal. Assim, na cidadania nacional temos a figura do Estado protegendo seus nacionais (por exemplo, os brasileiros) com fulcro nos direitos constitucionais fundamentais escritos.

No âmbito da cidadania regional, a garantia será prestada por órgãos de sistemas regionalizados, como a OEA, UA e UE na proteção de americanos, africanos ou europeus, respectivamente, com base nos direitos humanos regionais. No contexto universal, sob a égide dos direitos humanos universais.

Essa visão ampla e complementar dos sistemas de proteção dos direitos humanos é consistente com o desenvolvimento e a realização da cidadania, dado seu desenho multilateral.

Assim, mesmo diante do avanço da proteção do ser humano atendendo às suas reivindicações sob a égide de um denominador comum que lhe permite ser cidadão do mundo, seja ele brasileiro ou não.

A ideia de mínimo existencial é trabalhada com duas dimensões para seu real exercício: dimensão negativa, operando como um "limite, impedindo a prática de atos pelo Estado ou por particulares que subtraiam do indivíduo as condições materiais indispensáveis a uma vida digna" (FERNANDES, 2019, p. 822); dimensão positiva, em que diz respeito a "um conjunto essencial de direitos prestacionais a serem implementados e concretizados que possibilitam aos indivíduos uma vida digna" (FERNANDES, 2019, p. 822).

Nesse sentido, foram as classificações doutrinárias das normas constitucionais consagradoras de direitos sociais quanto à eficácia e efetividade, de onde surge a noção de "mínimo existencial", que busca conferir total eficácia às normas relacionadas ao mínimo necessário à vida humana.

Referências

ALEXY, Robert. Constitucionalismo discursivo. Tradução de Luís Afonso Heck. Porto Alegre: Livraria do Advogado, 2007.

______Teoría de lós derechos fundamentales. Tradução de Ernesto Garzón Valdés. Madrid: Centro de Estudios Constitucionales, 1997.

ALMEIDA FILHO, Agassi; MELGARÉ, Plínio. Dignidade da pessoa humana: fundamentos e critérios interpretativos. São Paulo: Malheiros, 2010.

ANDRADE, José Carlos Vieira de. Os direitos fundamentais na Constituição portuguesa de 1976.4. ed. Coimbra: Almedina, 2009.

BALESTRIN, Thelleen Aparecida. Ativismo Judicial. Revista da ESMESC. v. 18. n. 24. ano 2011.

BARCELLOS, Ana Paula de. A eficácia jurídica dos princípios constitucionais: o princípio da dignidade da pessoa humana. 3. ed. rev. atual. Rio de Janeiro: Renovar, 2011.

______Neoconstitucionalismo, direitos fundamentais e controle das políticas públicas. Revista de Direito Administrativo. Rio de janeiro, n. 240, ano 2005.
BARROSO, Luís Roberto. Ano do STF: Judicialização, ativismo e legitimidade democrática.

______Neoconstitucionalismo e constitucionalização do direito: o triunfo tardio do Direito Constitucional no Brasil. In: A constitucionalização do direito, 2007.

______O começo da história: a nova interpretação constitucional e o papel dos princípios no direito brasileiro. In: Temas de direito constitucional. v. III. 2. ed. Renovar: Rio de Janeiro, 2008.

BIELSCHOWSKY, Raoni. O Poder Judiciário na doutrina da separação dos Poderes: um quadro comparativo entre a ordem brasileira e a ordem portuguesa. Disponível em: chrome-extension://efaidnbmnnnibpcajpcglclefindmkaj/https://www2.senado.leg.br/bdsf/bitstream/handle/id/496610/000966864.pdf?sequence=1&isAllowed=y. Acesso em 03 jul. 2022.

BOBBIO, Norberto. A era dos direitos. Tradução de Carlos Nelson Coutinho. Rio de Janeiro: Campus, 1992. ______Positivismo jurídico: lições de filosofia do direito. São Paulo: Ícone, 1995.

BRANCO, Paulo Gustavo Gonet; MENDES, Gilmar Ferreira. Curso de direito constitucional. 6. ed. São Paulo: Saraiva, 2011.

CAMPOS, Carlos Alexandre de Azevedo. Dimensões do Ativismo Judicial do STF. Rio de Janeiro: Forense, 2014.

CANARIS, Claus-Wilhelm. Direitos fundamentais e direito privado. Tradução de Paulo Mota Pinto e Ingo Wolfgang Sarlet. Coimbra: Almedina, 2003.

CANOTILHO, José Joaquim Gomes. Direito constitucional e teoria da Constituição. 2. ed. Coimbra: Almedina, 2002.

CARVALHO, Alexandre Douglas Zaidan. Montesquieu e a releitura da separação de poderes no Estado contemporâneo: elementos para uma abordagem crítica. Lex Humana, 2009.

CATTONI de OLIVEIRA, Marcelo Andrade. Direito constitucional. Belo Horizonte: Mandamentos, 2002.

______Tutela jurisdicional e estado democrático de direito: por uma compreensão constitucionalmente adequada do mandado de injunção. Belo Horizonte: Del Rey, 1998.

CHOUKR, Fauzi Hassan. Ministério Público e políticas públicas. Temas atuais do Ministério Público. 3. ed. rev. atual. e ampl. Salvador: Editora JusPodivm, 2012.

CITTADINO, Gisele. Pluralismo, direito e justiça distributiva. 2. ed. Rio de Janeiro: Lumen Juris, 2000.

COOLEY, Thomas M., A treatise on the constitutional limitations which rest upon the power of the States of the American Union, Boston, 1903.

CONSELVAN, Victor de Almeida. O papel político do Poder Judiciário brasileiro no século XXI. Rev. Ciênc. Juríd. Soc. UNIPAR. Umuarama. v. 13. n. 1. ano 2010.

CORDEIRO, Karine da Silva. Direitos fundamentais sociais: dignidade da pessoa humana e mínimo existencial, o papel do Poder Judiciário. Porto Alegre: Livraria do Advogado Editora, 2012.

CUNHA, Alexandre Sanches. Manual de filosofia do direito. Salvador: Editora JusPodivm, 2017.

CUNHA JÚNIOR, Dirley da. Curso de direito constitucional. Salvador: Editora JusPodivm, 2008.

EMERIQUE, Lilian Márcia Balmant; GUERRA, Sidney. O princípio da dignidade da pessoa humana e o mínimo existencial. In: Revista da Faculdade de Direito de Campos. n. 9. ano 2006. 67

FERNANDES, Bernardo Gonçalves. Curso de Direito Constitucional. 11. ed. rev. ampl. e atual. Salvador: Editora Juspodivm, 2019.

FERRAZ JR., Tércio Sampaio. Introdução ao estudo do direito: técnica, decisão, dominação. 4. ed. rev. e ampl. São Paulo: Atlas, 2003.

FIGUEIREDO, Mariana Filchtiner. Direito à saúde. 3. ed. rev. ampl. e atual. Salvador: Editora JusPodivm, 2014.

FLORES, Gisele Maria Dal Zot. Mínimo existencial: uma análise à luz da teoria dos direitos fundamentais. In: Revista Justiça do Direito. v. 21. n. 1. ano. 2007.

GARCIA, Emerson. O direito à educação e suas perspectivas de efetividade. Justitia, São Paulo, v. 64, n.197, p.89-119, jul./dez. 2007.

______Princípio da separação dos Poderes: Os órgãos jurisdicionais e a concretização dos direitos sociais. De Jure: Revista Jurídica do Ministério Público de Minas Gerais.

GARCIA, Leonardo de Medeiros; ZANETI JÚNIOR, Hermes. Direitos difusos e coletivos. 6. ed. rev. ampl. e atual. Salvador: Editora JusPodivm, 2015.

HESSE, Konrad. A força normativa da Constituição - Die Normative Kraft Der Verfassung. Tradução de Gilmar Ferreira Mendes. Porto Alegre: Sergio Antonio Fabris Editor, 1991.

HOLMES, Stephen; SUNSTEIN, Cass R. The cost of rights: why liberty depends on taxes. New York: W. W. Norton &t Co, 1999.

KOMESAR, Neil K. Law´s limits: the rule of law and the supply and demand of rights. Cambridge: Cambridge University Press, 2001. KRELL, Andréas J. Direitos sociais e controle judicial no Brasil e na Alemanha. Porto Alegre: Sérgio Antônio Fabris, 2002.

LASSALE, Ferdinand. A essência da Constituição. Rio de Janeiro: Lumen Juris, 2000.

LEO, Pedro. A proibição da proteção deficiente enquanto vertente do princípio da proporcionalidade e sua influição na proteção dos direitos sociais. Revista Jus Navigandi, ISSN 1518-4862, Teresina, ano 22, n. 4967, 5 fev. 2017. Disponível em: https://jus.com.br/artigos/55320. Acesso em: 01 nov. 2019.

LENZA, Pedro. Direito Constitucional Esquematizado. 15. ed. rev. atual. e ampl. São Paulo: Saraiva, 2011.

MACHADO, Clara Cardoso. Limites ao ativismo judicial à luz do constitucionalismo fraterno.

MAGALHÃES, José Luiz Quadros de. A teoria da separação de poderes. Revista Jus Navigandi, Teresina, ano 9, n. 489, 8 nov. 2004.

MALDONADO, Maurílio. Separação dos Poderes e sistema de freios e contrapesos: desenvolvimento no Estado brasileiro.

MALISKA, Marcos Augusto. O direito à educação e a Constituição. Sergio Antonio Fabris Editor, 2001.

MARQUES, Leonardo Albuquerque. Poder Judiciário X processo legislativo: como decidir quem vai decidir que ações e serviços de saúde o Estado deve fornecer? Temas aprofundados AGU. Salvador: Editora JusPodivm, 2012.

MENDELSON, Wallace. The orthodox, or anti-activism, view: Mr. Justice Frankfurter. In: FORTE, David F. (Ed.). The Supreme Court in American Politics. Judicial activism v. Judicial restraint. Lexington: D.C. HeathandCo., 1972.

MENEZES, Bruno Paiva. Ativismo Judicial: O Supremo Tribunal Federal estaria legislando? Caso dos mandados de injunção que regulamentam o direito de greve dos servidores públicos.

MONTESQUIEU, Charles de Secondat. Do espírito das leis. Tradução de Jean Melville. São Paulo: Martin Claret, 2007.

MORAES, Alexandre de. Direitos humanos fundamentais: teoria geral. 8. ed. São Paulo: Atlas, 2007

NEVES, Marcelo. A constitucionalização simbólica. 2. ed. São Paulo: Martins Fontes, 2007.

NOGAMI, Gustavo. Breves considerações acerca do controle ministerial sobre as políticas públicas. Temas aprofundados do Ministério Público Federal. 2. ed. rev. ampl. e atual. Salvador: Editora JusPodivm, 2013.

OLIVEIRA, Caio Ramon Guimarães de. Teoria do mínimo existencial como fundamento do Estado Democrático de Direito: um diálogo na busca de uma existência digna. In: Revista Direito e Liberdade (RDL) - ESMARN. v. 14. n. 2. ano. 2012.

PEIXOTO, Leonardo Scofano Damasceno. O Poder Judiciário no Estado de Direito. In: Revista EMERJ, Rio de Janeiro. v. 16. n. 61. ano 2013.

RAMOS, André de Carvalho. Curso de direitos humanos. 2. ed. rev. atual., e ampl. São Paulo: Saraiva, 2015.

ROCHA, Cármen Lúcia Antunes. O princípio da dignidade da pessoa humana e a exclusão social.

SARLET, Ingo Wolfgang. A eficácia dos direitos fundamentais: uma teoria geral dos direitos fundamentais na perspectiva constitucional. 10. ed. rev. atual. e ampl. Porto Alegre: Livraria do Advogado, 2009.

______Dignidade da pessoa humana e direitos fundamentais na Constituição Federal de 1988. 9. ed. rev. e atual. Porto Alegre: Livraria do Advogado Editora, 2012.

______ O estado social de direito, a proibição de retrocesso e a garantia fundamental da propriedade. Revista da Faculdade de Direito, n. 17, 2001.

SARMENTO, Daniel. A ponderação de interesses na Constituição Federal. Rio de Janeiro: Lumen Juris, 2002.

______Por um Constitucionalismo inclusivo. Rio de Janeiro: Lumen Juris, 2010.

SARMENTO, Daniel; SOUZA NETO, Cláudio Pereira de. Direito Constitucional: teoria, história e métodos de trabalho. 2. ed. Belo Horizonte: Editora Fórum,

2016. SEGADO, Francisco Fernández. La dignidad de la persona como valor supremo del ordenamento jurídico, 2000.

SILVA, José Afonso da. Curso de direito constitucional positivo. rev. e atual. São Paulo: Malheiros, 2005.

______ Comentário contextual à constituição. 3. ed. São Paulo: Malheiros, 2007.

______Aplicabilidade das normas constitucionais. 2. tir. São Paulo: Malheiros, v. 42, 2008.

STRECK, Lenio Luiz. A Hermenêutica jurídica em crise: uma exploração hermenêutica da construção do direito. 10. ed. Porto Alegre: Livraria do Advogado, 2011.

______Para além da retórica, uma Hermenêutica jurídica não relativista. In: LEITE, George Salomão, STRECK, Lenio Luiz (Cord.). Interpretação, Retórica e Linguagem. Salvador: Editora JusPodivm, 2018.

TASSINARI, Clarissa. Ativismo judicial: Uma análise da atuação do Judiciário nas experiências brasileira e norte-americana. Dissertação (mestrado) - Universidade do Vale do Rio dos Sinos - UNISINOS. Programa de Pós-Graduação em Direito, São Leopoldo: 2012.

TAVARES, André Ramos. Direito fundamental à educação. D

TORRES, Ricardo Lobo. O direito ao mínimo existencial. Rio de Janeiro: Renovar, 2009. TRIBE, Laurence. The invisible Constitution. Oxford: University Press, 2008. Trop v. Dulles, 356 U. S. 86, 128 (1958).

VIANNA, Carlos Eduardo Souza. Evolução histórica do conceito de educação e os objetivos constitucionais da educação brasileira. Revista Janus. Lorena, v. 3, n. 4, p. 130, 2006.

XIMENES, Julia Maurmann. Reflexões sobre o conteúdo do Estado Democrático de Direito.

ZAULI, Eduardo Meira. Judicialização da política, Poder Judiciário e Comissões Parlamentares de Inquérito no Brasil. In: Revista Sociológica Política, Curitiba. v.19. n. 40.

GOVERNANÇA GLOBAL: UM MECANISMO PARA A PROTEÇÃO EFETIVA DOS REFUGIADOS

Rênio Líbero Leite Lima [1]*

Apresentação

A governança global pode ser compreendida como a união de esforços por vários atores internacionais a fim de alcançar, com eficiência, a consecução de um bem comum. Significa, então, a reunião de ânimos dirigida a uma finalidade, havida da necessidade de colaboração entre as nações.

Após a segunda guerra mundial várias nações se uniram com o propósito de criar mecanismos de uma ordem internacional capaz de priorizar o diálogo entre os Estados e evitar novos conflitos da proporção dos observados em meados da década de 1940.

Como fruto dessa união entre os países foi criada a Organização das Nações Unidas (ONU) que passou a ter um papel fundamental na ampliação dos Direitos Humanos e na preservação da dignidade dos indivíduos.

---

[1] * **Rênio Líbero Leite Lima:**
-Coordenador e Professor de Direito – Faculdade Vale do Pajeú (FVP).
-Mestrando em Direito Internacional (UNISANTOS).
-Especialista em Direito Processual Civil (Anhanguera/Uniderp - São Paulo - SP), Pós-graduado pela Escola Superior do Ministério Público da Paraíba (FESMIP/PB), Graduado em Ciências Jurídicas pela Universidade Federal de Campina Grande (UFCG).
-Procurador Geral do Município de São José do Egito-PE.
-Pesquisador no Grupo de Pesquisa (CNPQ): Ética, Direitos Humanos e Alteridade.

Governança Global: Um Mecanismo para a Proteção Efetiva dos Refugiados

A preocupação com a proteção do ser humano em estado de vulnerabilidade, pela comunidade interncional, ao menos do ponto de vista formal, é um importante elemento de governança global. Nesse esforço coletivo, restou reconhecida a condição de refugiado ao indivíduo Qque teve seus direitos humanos ameaçados ou violados pelo seu país de origem por questões de raça, religião, nacionalidade, etnia ou opinião política, ou em razão de grave e generalizada violação de direitos humanos e conflitos armados, que necessitem deixar o seu país.

Os esforços multinacionais dirigidos a criar uma ordem internacional foram também concentrados na elaboração de instrumentos legais internacionais de proteção aos seres humanos, inclusive, aqueles na condição de refugiados. Atingem, portanto, o seu objetivo, ao garantir a todo ser humano a mesma medida de dignidade.

Assim, formalmente, a proteção dos refugiados encontra amparo legal no cenário internacional. Não obstante, as crises migratórias devido à perseguição de indivíduos por opinião política, por questões de raça, religião, nacionalidade, etnia ou em decorrência de conflitos armados continua a ser uma realidade presente no mundo.

Países signatários da Organização das Nações Unidas e inclusive, dentre estes, os que pactuaram o Estatuto dos Refugiados na Convenção de Genebra de 1951, fecham os olhos para as crises migratórias da atualidade e, por vezes, impedem a entrada de migrantes refugiados em seus territórios. Acontece também de aqueles (refugiados) que já estejam dentro daqueles territótios nacionais não têm, muitas vezes, sequer sua dignidae preservada.

Se a cooperação internacional atingiu seu objetivo com a proteção dos refugiados do ponto de vista formal, careçe também governança para aplicação dos instrumentos legais na proteção desses indivíduos do ponto de vista da perspectiva material.

É preciso que os atores internacionais se envolvam em esforços coordenados para acolhimento e realocação dos refugiados, para o reconhecimento dessa condição e para o oferecimento de condições básicas de sobrevivência.

1. Governança, Governança Global e a Sociedade Internacional

Sociedade Internacional é uma expressão vaga, comumente utilizada para indicar a associação de diversas nações congregadas com o propósito de redarguir situações de ameaça terrorista ou, no âmbito da geopolítica, para pressionar países que almejem se contrapor à ordem internacional.

As sociedades internacionais são, assim, formadas por nações soberanas, e justamente por ter governo central em seus territórios, carecem das regras do direito internacional para que se realize a coexistência harmônica entre si para que cheguem ao seu desiderato através da cooperação (NASSER, 2008, p.4).

Essa união (sociedade ou comunidade) é aleatória e temporária, não sendo um organismo internacional. Ela se dá em questões específicas para uma necessidade passageira, numa espécie de arranjo internacional *ad hoc*.

Nesse cenário, ainda que não haja uma estabilidade na reunião desses países, eles compartilham interesses em comum e unem esforços com o propósito coletivo funcionando como uma ação de governança.

1.1 A ideia de Governança

A expressão Governança está ligada à ideia de Governo. Na verdade, se vincula à capacidade de governar, de articular interesses e alcançar, com eficiência, os objetivos almejados (MAUAD, 2016, p. 17). A Governança Global, contudo, pode apresentar outras definições, uma vez que no cenário internacional não há um governo central, com soberania, que possa dirigir ou articular interesses.

Matias, (2014, p. 48), distingue governo de Governança:

> *No plano internacional, "governo" abrange o universo dos Estados – instituições formais, com soberania nacional, monopólio de poder sobre um determinado território e independência legal de autoridades externas – e o sistema interestatal. Já a "governança" deve ser vista como um processo, que pode ser levado adiante por meio de grupos ou instituições, públicos ou privados, em diversos níveis – subnacional, nacional, regional, internacional, supranacional, etc.*

O que marca o surgimento da ideia de Governança Global é, porquanto, a necessidade de colaboração entre as diversas nações com interesses em comum. Conquanto haja, ainda atualmente, grande dificuldade em conceituar a expressão, há algum consenso quanto às suas origens.

O fim da guerra fira trouxe um alargamento da agenda internacional de muitas nações (MAUAD, 2016, p. 17), impulsionadas pelo liberalismo econômico, amplificando a ideia de Governança Global que é, então, marcada pela necessidade de organização no plano internacional.

Rosenau e Czempiel (1992) *apud* Mauad (2016, p. 18), trazem, em sua obra – *overnance without government: order and change in world politics* – algumas definições de governança global com elementos de uma nova dinâmica de 'governança sem governo', "sinalizando que não era mais viável caracterizar o sistema internacional exclusivamente pela sua anarquia e que era preciso pensar em novas categorias" (MAUAD, 2016, p. 18).

Para Diniz, *apud* Gonçalves (2005), "A expressão 'governance' surge a partir de reflexões conduzidas principalmente pelo Banco Mundial, "tendo em vista aprofundar o conhecimento das condições que garantem um Estado eficiente".

Em documento oficial do ano de 1992, com o título *Governance and Development*, o Banco Mundial traz a definição de governança como sendo a ação de exercer autoridade, controle, administração, e poder de governo. Ou mais especificamente, o exercício da administração dos recursos sociais e econômicos de um país buscando o desenvolvimento, por meio de planejamento e implementação de política de desenvolvimento econômico e social (GONÇALVES, 2005).

A Organização das Nações Unidas publicou relatório em 1994, pela sua Comissão de Governança Global criada em 1992 (GONÇALVES, 2006, p. 1), traz modernos parâmetros conceituais para o novo ideal de soluções para os problemas globais como "a totalidade das diversas maneiras pelas quais os indivíduos e instituições, públicas e privadas, administram seus problemas comuns. É um processo contínuo pelo qual é possível acomodar interesses conflitantes e realizar ações cooperativas" (COMISSÃO SOBRE GOVERNANÇA GLOBAL, 1996).

O Relatório sobre o Desenvolvimento Humano do PNUD – Programa das Nações Unidas para o Desenvolvimento traz o conceito de governança democrática (GILBERTO; FRINHANI, 2016, p. 113).

A ideia de Governança Democrática alcança as liberdades fundamentais, como analisam Gonçalves e Costa (2015, p. 95):

> *Enquanto a ideia de "boa governança" restringia-se mais aos meios para se alcançar o progresso socioeconômico, a governança democrática defendia que as liberdades civis e políticas, bem como a participação, têm valor fundamental. Assim, na essência, governança democrática significa, além de instituições eficientes e ambiente previsível ao desenvolvimento econômico e político para o crescimento e efetivo funcionamento dos serviços públicos, liberdades*

> *fundamentais, respeito aos direitos humanos, remoção da discriminação de raça, gênero e grupo étnico, necessidades das futuras gerações quanto a politicas desenvolvidas.*

1.2 Governança e Globalização

A globalização é o fenômeno através do qual nota-se uma aproximação entre nações diversas com vistas à integração de seus mercados, experimentando também o intercâmbio social, cultural e político.

A necessidade dos países dessa aproximação mundial (global) deve-se principalmente ao fato de que a produção de muitos dos recursos necessários à sobrevivência e desenvolvimento humanos são limitados. O compartilhamento de conhecimento, de tecnologias e a troca de produtos obrigam, então, a que as sociedades mantenham relações entre si.

A necessidade dessas relações internacionais entre os países, com ordenamentos jurídicos distintos e soberania própria, traz em seu bojo, a capacidade de diálogo e articulação entre os Estados. A ampliação crescente desses relacionamentos, com o aumento do liberalismo econômico, impôs uma organização em nível global para o atendimento dos interesses das nações envolvidas.

Para Pierik *apud* Gonçalves (2005), Globalização é um fenômeno de caráter multidimensional que impõe aos indivíduos a mudança na organização das atividades socioeconômicas de um Estado a fim de atender a interesses internacionais. Para tanto, se faz necessário uma menor interferência de seu ordenamento Jurídico, fazendo-se permissivo a entidades supranacionais em detrimento de uma aparente diminuição da Soberania Estatal. "Estes processos limitaram a competência, mandato e autoridade dos Estados nacionais – o declínio do governo – enquanto outras instituições, como organizações internacionais e supranacionais, ONGs e empresas multinacionais preencheram este vácuo de poder – a emergência da governança global." Pierik *apud* Gonçalves (2005).

O desenvolvimento dos países é, atualmente, completamente dependente das relações internacionais. O processo cada vez mais específico de industrialização demanda a intervenção de empresas nacionais ou multinacionais localizadas nas mais diversas regiões do planeta. Igualmente a produção de alimentos e o escoamento da produção reclama a participação de vários agentes nacionais e/ou multinacionais.

O mundo está, porquanto, diante de uma nova ordem internacional, que demanda uma organização global, com regras específicas, para atuação de agentes multinacionais que agem no afã de atendimento das necessidades específicas de cada Estado. Para tanto, a Governança Global se apresenta como o meio eficaz de atender as demandas de cada país, dentro de um caráter de universalidade, sem, contudo, ofender a ordem interna destes.

Assim, o Direito Internacional tem sido cada vez mais relevante no contexto da Globalização, a fim de resguardar os interesses internos dos países sem afetar as relações internacionais, indispensáveis ao progresso da humanidade, já que não são apenas as elações econômicas que marcam as relações internacionais. A cooperação científica e tecnológica nas áreas da saúde e do meio ambiente, por exemplo, são imperativos para a estabilidade mundial.

1.3 A Governança Global, Regimes Internacionais e Ações de Governança

As relações internacionais não podem prescindir da Governança Global, capaz de articular as soluções dos conflitos de interesses entre os atores envolvidos através da instituição de organismos de caráter multinacional aptos a gerir, eficazmente, os processos demandados.

A Governança constitui, assim, o aparelhamento legal, democrático e social de um organismo ou instituição que seja capaz de garantir, nas relações internacionais, as liberdades de opinião, de sufrágio universal, a igualdade perante a lei, entre outros. (THE ECONOMIST, 2009/2010). Portanto, as instituições, formais ou não, "compreendem regras formais, limitações informais (normas de comportamento, convenções e códigos de conduta auto impostos) e os mecanismos responsáveis pela eficácia desses dois tipos de normas" (NORTH, 1993, p. 13).

Porquanto, as instituições idealizadas com base nos princípios legais e democráticos aceitos pelos agentes envolvidos estão aptos a realizar a governança global.

Os Regimes Internacionais são espécies do gênero Governança Global, sendo esta o conjunto de ações adotadas para os problemas comuns, enquanto Regime Internacional seria apenas uma parte deste conjunto: uma das ações à disposição da governança.

Qualquer Regime Internacional representa, assim, uma ação de Governança (GONÇALVES, 2011, p. 43), mas qualquer ação de Governança extrapola o objeto de um Regime Internacional ou dele difere completamente.

As decisões tomadas em órgãos de Governança Global, por exemplo, não constituem um Regime Internacional, assim como as ações internas destes órgãos.

Para Young *apud* Gonçalves (2011, p. 43), os Regimes Internacionais são instituições que dirigem ações dos atores envolvidos em atividades específicas e também como sistemas de Governança criados para atuar em um conjunto mais limitado com questões de baixa complexidade.

Haggard e Simons *apud* Gonçalves (2011, p. 43) "salientam que regimes são exemplos de comportamento cooperativo, e de fato facilitam a cooperação, mas esta pode existir mesmo na ausência de regimes estabelecidos. Ou seja, a governança pode ser promovida em situações onde não existem regimes. E vão além, ao apontar que 'expectativas convergentes' podem ou não estar ligadas a acordos". E complementam: "podem, de fato, surgir num meio caracterizado por conflito substancial" Haggard e Simons *apud* Gonçalves (2011, p. 43).

Rosenau (2000, p. 21) disserta que Governança Global e Regimes Internacionais abrangem, ambos, atores governamentais e não governamentais, em prol da cooperação para realizar seus interesses, mediante a adoção de princípios, normas, regras e procedimentos, sem que haja nos Regimes, autoridade central. Mas afirma também que Governança Global e Regimes Internacionais estão longe de ser a mesma coisa. Para ele Governança é um conceito muito mais amplo, e aplicável a conflitos entre regimes, estando, porquanto, acima destes.

Governança guarda relação com a ordem global, enquanto os Regimes, com seu caráter específico se limitam a uma área temática.

A Teoria dos Regimes Internacionais deita sua atuação sobre os Estados Nacionais com relações Interestatais, ao passo que a Governança Global preocupa-se com os atores transnacionais. (STOKKE, 1997, p. 30).

Do ponto de vista material, a Governança Global se consolida por pactos em diferentes áreas, que devem ser coordenados e codificados em Convenções e Tratados. Quanto aos Regimes Internacionais, estes se materializam pela simples articulação e solução de problemas, constituindo-se em Ações de Governança. (GONÇALVES, 2011, p. 44).

2. Governança Global na Proteção do Direito Internacional dos Refugiados

Do ponto vista formal a cooperação ente os países conseguiu produzir instrumentos internacionais de caráter *hard law*, pois, ainda que não exista um órgão governamental com soberania internacional, a regras internacionais abraçadas pelas nações envolvidas confere a estas e aos atores internacionais responsabilidades e direitos vinculativos reais.

A Conferência de Viena, realizada em 1969, resguardou o papel fundamental dos tratados para as relações internacionais, reconhecendo-os como fontes do Direito Internacional. (Decreto 7.030/2009).

2.1 A Formação Legal do Sistema de Proteção dos Refugiados

O palco da Segunda Grande Guerra Mundial apresentou ao mundo o maior número de atrocidades contra o homem de que se tem notícia. Para fugir do flagelo humanitário, milhões de indivíduos deixaram seus países, especialmente aqueles que fugiam do Nazismo Alemão.

Então, a partir do Século XX observou-se uma maior preocupação doa países envolvidos naquele conflito bélico, com as pessoas mais vulneráveis. Por outro lado, o grande número de refugiados era visto como ameça à estabilidade socioeconômica europeia, donde surgiu a mobilização dos atores internacionais a fim de regulamentar a situação dos refugiados.

Em 1951 foi aprovado o Estatuto dos Refugiados na Convenção de Genebra, vindo a ser o primeiro instrumento internacional sobre a condição de refugiado, seus direitos e deveres. Os países signatários da Organização das Nações Unidas adotaram o Diploma e produziram ligislação interna sobre a matéria.

Assim, foi desenhando-se Direito Internacional de Proteção da Pessoa Humana na esteira do estudo do Direito Internacional Público. (JUBILUT, 2007, p. 23), que possui três vertentes: o Direito Internacional dos Direitos Humanos (DIDH), o Direito Internacional Humanitário (DIH) e o Direito Internacional dos Refugiados (DIR), (RAMOS, 2013, p. 43).

Esses três braços do Direito Internacional Público têm o mesmo objetivo final, qual seja, a proteção integral dos direitos da pessoa humana, destinatária final das normas processuais e substantivas de cada um destes ramos (TRINDADE, *et al*, 1996, p. 36), conforme estipulóu-se na Conferência de Viena de 1934.

2.2 A instrumentalização da Proteção aos Refugiados

A Declaração Universal dos Direitos Humanos, proclamada pela Assembleia Geral das Nações Unidas em 10 de dezembro 1948 garante, em seu Artigo 14.1 que "Todo ser humano, vítima de perseguição, tem o direito de procurar e de gozar asilo em outros países."

Tal garantia universal, adotada por todos os países signatários da Convenção da Organização das Nações Unidas tem por objetivo garantir a dignidade dos seres humanos, mediante a proteção de condições mínimas de sobrevivência inerentes à condição humana.

Conceituando a dignidade humana, Sarlet (2007, p. 62) pondera:

> *Temos por dignidade da pessoa humana a qualidade intrínseca e distintiva de cada ser humano que o faz merecedor do mesmo respeito e consideração por parte do Estado e da comunidade, implicando, nesse sentido, um complexo de direitos e deveres fundamentais que asseguram a pessoa tanto contra todo e qualquer ato de cunho degradante e desumano, como venham a lhe garantir as condições existenciais mínimas para uma vida saudável, além de propiciar e promover sua participação*

> *ativa e corresponsável nos destinos da própria existência e da vida em comunhão com os demais seres humanos.*

Considerando que a Carta das Nações Unidas e a Declaração Universal dos Direitos Humanos afirmaram o princípio de que os seres humanos, sem distinção, devem gozar dos direitos humanos e das liberdades fundamentais, foi firmado, em 1951 o Estatuto dos refugiados, com o espítro de que é desejável rever e codificar os acordos internacionais relativos aos refugiados e estender e ampliar a aplicação desses instrumentos.

Desarte, os estados americanos, através do seu sistema regional interamericano de proteção aos direitos humanos, instrumentalizado no Pacto de São José da Costa Rica, consolida a ideia de proteção universal da dignidade humana, uma vez que esta não pode ter alcance diferenciado em sua definição em razão de limites ou situações geográficas.

Em seus artigos 1º. 2, o Pacto de São José da Costa Rica assegura que: "Para efeitos desta Convenção, pessoa é todo ser humano." Neste interim, há que se reconhecer que a expessão "pessoa" não admite distinção entre nacionais, estrangeiros, residentes ou domiciliados em qualquer parte do mundo.

Os instrumentos internacionais de proteção aos refugiados, portanto, atingem o seu objetivo, ao menos do ponto de vista formal, ao garantir a todo ser humano a dignidade, graças aos esforços multinacionais dirigidos a criar uma ordem internacional.

A criação da ONU, a sua atuação no cenário internacional, a criação de instrumentos normativos fruto de discussões em reuniões e assembléias entre os diversos Estados Membros são ações de governança dirigidas ao propósito de garantir a dignidade humana em todas as partes do mundo.

2.3 A Governaça Global na Proteção aos Refugiados

A preocupação com a proteção do ser humano em estado de vulnerabilidade, pela sociedade interncional, é um importante elemento de governança global. A condição de refugiado reconhece que o indivíduo teve seus direitos humanos ameaçados ou violados, o que enseja a Proteção do Direito Internacional dos refugiados e do Direito Internacional dos Direitos Humanos, um em complementação do outro, de forma harmônica. Jubilut (2007, p. 61) entende que:

> *Tal fato é extremamente positivo, pois fortalece a proteção ao refugiado, uma vez que ao mesmo tempo em que se assegura o refúgio, livrando-o de violações de direitos relativos ao seu status civil, ele traz em si a necessidade de resguardar também os demais direitos humanos, para, com isso, aumentar o nível de proteção dado à pessoa humana.*

O fluxo de proteção dos refugiados pelo sistema internacional de proteção, quando violado, espraia em mais de uma ramificação do Direito Internacional Público, o que impõe o reconhecimento de violações da Ordem Internacional, dos Direitos Humanos e dos Dieitos dos Refugiados, revelando, portanto, a necessidade da Governança Global na preservação daqueles direitos ou sua restituição, bem assim para manutenção da Ordem Internacional.

As violações de Direitos Humanos pelos Estados, a partir da Segunda Guerra Mundial, deixaram de ser uma questão interna para se tornar uma preocupação legítima e necessária do Direito Internacional Público (PIOVESAN, 2014, p. 253).

As Organizações Internacionais, formadas por dois ou mais Estados, com atuação geopolítica internacional, econômica e/ou humanística, são dotadas de personalidade jurídica e foram criadas para solucionar os problesmas que os Estados não conseguem resolver de forma individualizada.

Governança Global: Um Mecanismo para a Proteção Efetiva dos Refugiados

A Carta da Organização das Nações Unidas (ONU) estabelece a igualdade dos Estados como nações soberanas sob a lei internacional, a igualdade e dignidade dos Estados e seus povos, protege suas identidades originais e sua liberdade nacional, além de afirmar seu direito autodeterminar-se. (GILBERTO; FRINHANI, 2016, p. 118).

O modelo de soberania adotado pelos países membros da ONU admite os reflexos do Direito Internacional dos Direitos Humanos em seus Ordenamentos Jurídicos. Cada Estado também assume responsabilidades no âmbito interno, no sentido de respeitar e fazer respeitar a Dignidade Humana.

Entretanto, a realização do DIDH não encontra, na prática, a eficiência eperada. As Organizações Internacionais, inclusive a ONU não guardam as condições ideiais para solucionar as demandas que lhe são apresentadas.

A proteção plena aos Direitos Humanos continua sendo uma utopia, mas a Governança Global ainda se revela como a ferramenta mais eficinete para atuar junto aos Estados violadores dos Direitos Humanos, pois ainda que não consiga devolver o *staus quo* dos indivíduos naquele território, é capaz de resgatar a dignidade dos refugiados em outros territórios nacionais, tal como pensado na Convenção de Genebra de 1951.

A cooperação Internacional dirigida por uma Governança Global pode dar uma perspectiva razoável ao Direito de Asilo, na medida em que os Estados Membros da Governança Global abracem a cooperação para solução dos refugiados, trabalhando a prevenção no país de origem, a integração com o país de destino e a realocação com os demais Estados. (GILBERTO; FRINHANI, 2016, p. 119).

3. Uma Governança Global para a Proteção Efetiva dos Refugiados

A articulação de agentes internacionais foi suficiente a criar o devido amparo legal para os Refugiados, tendo sido inclusive criado um Estatuto próprio com força de vincular os países signatários, criando um sistema de *hard law*.

Além de adotar o Estatuto dos Refugiados de 1951, os países envolvidos se comprometeram em criar mecanismos legais no âmbito interno para garantir a eficácia do Diploma Internacional.

Atualmente, 149 nações são signatárias da Convenção relativa ao Estatuto dos refugiados, tornando-a um dos tratados internacionais mais apoiados no mundo. (ACNUR, 2021).

Há então, de fato, um Sistema de Proteção aos Refugados com respaldo do Direito Internacional e do Direito Interno dos países que pactuaram o Estatuto dos Refugiados. O problema se apresenta, verdadeiramente, no momento em que esse sistema de proteção é demandado a funcionar: quando observada uma crise migratória, os refugiados não tem recebido a proteção que as normas prometem entregar.

3.1 A Eficácia do Sistema Internacional de Proteção dos Refugiados

Nas últimas décadas, quase todas as nações do mundo enfrentaram problemas com o deslocamento forçado de pessoas. No ano de 2020, o número de pessoas deslocadas à força, incluindo refugiados e deslocados internos, havia chegado a mais de 82 milhões (ACNUR, 2021).

Conflitos antigos se protraem no tempo, enquanto novas guerras surgem. Some-se isso às mudanças climáticas (ACNUR, 2021), desastres ambientais e a tirania de governos autoritários que perseguem por opinião política. O resultado é o número crescente de pessoas forçadas a ter o refúgio como única alternativa para preservar sua vida e dignidade.

Segundo a ACNUR (2022), a Síria é o país que mais refugiados tem pelo mundo. São aproximadamente 824.400 pessoas forçadas a fugir dos conflitos armados que já duram 11 anos. As crises na África subsaariana também levaram a novos deslocamentos. O Sudão do Sul, Burundi, Iraque, Nigéria e Eritréia também geraram grande número de deslocamentos forçados (BBC, 2021).

A experiência tem mostrado que, no mais das vezes, os refugiados não o encontram amparo de que necessitam nos países de destino, isto é, quando conseguem chegar até eles, posto que, em ocasiões recentes, algumas nações têm fechado as fronteira para recepcionar migrantes refugiados.

Chama atenção o fato de que países que tem fechado as fronteiras aos refugiados sejam signatários do Estatuto dos Refugiados e o tenham disciplinado em sua ordem interna.

Há como justificativa o fato de que nenhum país estaria preparado para receber, repentinamente, grande número de refugiados e tal situação impacta de forma quase imediata em problemas sociais e, em alguns casos, seria uma prorrogação da crise humanitária a outro território. Os Serviços Públicos de atendimento a população nos países que recebem migração em massa também são, muitas vezes comprometidos, inclusive para a população local.

Em que pese a previsão normativa estabelecer um Sistema Internacional de Proteção aos Refugiados, bem como regramento interno pelos países membros da ONU, fato é que, como se tem afirmado, os direitos daquelas pessoas que se veem diante de um deslocamento forçado ainda não encontram a necessária proteção no país de destino.

Seja pela falta de vontade política ou pela carência de infraestrutura e de recursos, os refugiados dificilmente recebem o adequado acolhimento aonde chegam. Para piorar, algumas vezes sequer conseguem chegar ao lugar pretendido, perdendo suas vidas pelo caminho, como se viu acontecer a muitos refugiados sírios que tentavam chegar à Itália através do Mar Mediterrâneo.

3.2 A Experiência Recente com as Crises Migratórias

No dia 2 de setembro de 2015, a foto de um garoto de três anos de idade chocou o mundo. Com calção azul, camisa vermelha e sapatos nos pés, o corpo de Alan Kurdi jazia numa praia turca. Com rosto parcialmente enterrado na areia e a água do mar batendo levemente em seus cabelos. A criança morreu quando o bote que estava naufragou. Junto com ela, morreram também seu irmão de cinco anos e a mãe das crianças (BBC, 2021).

Entre os refugiados que tentavam chegar à Europa, 3.500 perderam suas vidas só no ano de 2014. Em fevereiro de 2015 mais 300 pessoas morreram em mais um naufrágio e, em abril do mesmo ano foram mais 800 vidas perdidas no Mediterrâneo. (BBC, 2021).

Assim como acontece na maioria dos países que recebem um grande número de refugiados em curto espaço de tempo, a Itália começou a enfrentar problemas com os milhares de migrantes que entravam no país.

A opinião pública exerceu forte influência no meio político e no ano de 2018 esta nação decidiu bloquear a entrada de mais pessoas vindas da Síria, fechando os seus Portos para navios que traziam migrantes, aumentando o drama humanitário daqueles indivíduos.

O Brasil não conseguiu dar a uma resposta diferente da italiana quando da situação dos venezuelanos refugiados no país. Assim, os migrantes que deixaram seu país em busca de ajuda humanitária tiveram, em parte, suas expectativas frustradas em razão da burocrácia do estado brasileiro e da falta de estrutura e políticas públicas voltadas à proteção dos refugiados.

Roraima foi o destino mais procurado pelos venezuelanos. Não por coincidência, o Índece de Desenvolvimento Humano (IDH) daquele Estado encolheu enquanto os demais estados brasileiros estavam estáveis ou em crescimento, segundo dados do IPEA (2019).

O Estado de Roraima publicou o Decreto nº. 25.681 de 2018, que "Decreta atuação especial das forças de segurança pública e demais agentes públicos do Estado de Roraima em decorrência do fluxo migratório de estrangeiros em território do Estado de Roraima e dá outras providências", RORAIMA (2018).

O Decreto nº. 25.681 de 2018 apresenta a seguinte justificativa: "A ineficiência das ações federais no controle de fronteira, permitindo que pessoas que não se enquadram na situação de refugiados ingressem em território nacional de forma indiscriminada e sem as cautelas sanitárias e de antecedentes criminais".

O Decreto Estadual aumenta o controle do fluxo migratório; torna o tratamento dispensado aos migrantes mais rígido, criando mais mecanismos de fiscalização; inclusive autoriza a expulsão e deportação de migrantes que violem a lei sem sequer fazer menção ao devido processo legal, à ampla defesa e ao contraditório.

No mesmo sentido do aparente equívoco constitucional já perpetrado pelo "fechamento" da forteira, o Decreto Estadual estabelece em seu artigo 3º o seguinte: "Determino que os serviços públicos prestados pelo Governo do Estado de Roraima diretamente à população sejam regulamentados para o fim de salvaguardar aos cidadãos brasileiros o acesso irrestrito a tais serviços".

Além do Decreto 25.681/2018, a Primeira Vara Federal de Roraima, suspendeu, por meio de liminar, a entrada de migrantes venezuelanos no Brasil, através da fronteira com aquele Estado. Sustentou a decisão que a medida seria necessária, para se fazer um balanço das medidas adotadas e planejar a implementação de outras mais efetivas, que garantam o acolhimento humanitário dos migrantes (CORREIO, 2018).

Em que pese a decisão ter sido revertida em instancia superior, fato é que os refugiados venezuelanos foram tratados com discriminação no Brasil, além de não encontrarem apoio humanitário suficiente a garantir o mínimo de dignidade.

Há, ainda, outro fenômeno migratório recente que tem ocupado a atenção de especialistas e autoridades: a guerra da Ucrânia, onde o número de pessoas refugiadas do país para escapar da invasão da Rússia, segundo dados da agência de refugiados da ONU (ACNUR) é superior a seis milhões (CNN, 2022). A maior parte tem entrado na União Europeia através das fronteiras com Polônia, Eslováquia, Hungria e Romênia.

O drama humanitário dos refugiados ucraniados que deixam seu territtório nacional, sob ataque russo, é grande: eles têm econtrotado dificuldades para chegar às fronteriras, se amontoando em vagoes de trem, em comboios de carros ou em longas caminhadas. O frio congelante e a fome são as maiores dificuldades (CNN, 2022).

Por outro lado, a União Europeia flexibilixou a entreda de refugiados ucranianos em seu territórrio. A Polônia, país que recebe o maior número de refugiados, preparou centros de acolhimento, além de oferecer comida e atendimento médico. Hungria e Romênia disponibilizaram ajuda financeira para compra de roupas e alimentos. A República Tcheca tem permitido um visto especial para permanência no país. Grécia e Alemanha enviam frequentemente cobertores e tendas para os centros de acolhimento. França envia medicamentos e outros equipamentos clínicos para a Polônia. (INSTITUTO LIBERDADE E CIDANAIA, 2022).

Ao contrário do que ocorre com os refugiados sírios e venezuelanos, os ucranianos tem recebido maior solidadiedade e melhor acolhimentos dos países de destino e seus vizinhos. A União Europeia tem orientado o esforço humanitário dos países membros e estes, por sua vez, têm realizado um esforço coordenado para o acolhimento dos ucranianos.

3.3 Uma Governança Global para a Efetiva Proteção dos Refugiados: o exemplo europeu de acolhimento dos ucranianos

A experiência tem demonstrado que a proteção aos refugiados é ineficaz e sofrível a cada vez que se enfrenta uma crise migratória. Os países que recebem refugiados, quase sempre, estão despreparados para acolher um grande número de migrantes ao mesmo tempo, ao passo que as demais nações fecham os olhos para a crise humanitária que se desenvolve.

Dois casos recentes são suficientes a demonstrar situações opostas quanto ao tratamento e acolhimento dos refugiados. No caso da guerra na Síria, em que os países europeus que observaram o fluxo migratório agiram sozinhos, acolheram mal e fecharam suas fronteiras aos que se viam em deslocamento forçado. Já na guerra da Ucrânia, se observou certa flexibilização para entrada dos migrantes, maior preocupação com o acolhimento, e ações coordenadas de vários países que entregavam, ajuda financeira, alimentos, roupas, colchões, medicamentos, entre outras coisas, ao passo em que a União Europeia se preocupava em realocar os refugiados, distribuindo essas pessoas entre os países membros.

Paralelamente, entidades não governamentais, a ONU através do Alto-comissariado das Nações Unidas para os Refugiados, empresas privadas e pessoas físicas (voluntárias) se engajavam no socorro humanitário aos ucranianos.

O exemplo ucraniano, portanto, é a mais forte evidência de que a proteção aos refugiados pode bem funcionar em qualquer situação. As ações de governança implementadas no acolhimento e realocação dos ucranianos, com esforços coordenados de várias nações têm sido suficientes a garantir, minimamente, a eficácia do sistema normativo de proteção aos refugiados.

Porquanto, a Governança Global é um mecanismo apto a garantir que toda pessoa que fuja do seu país de origem por perseguição em razão de discriminação de raça, religião, nacionalidade, condição social ou opinião política, ou devido a grave e generalizada violação de direitos humanos, possa ser acolhida e ter sua dignidade preservada.

É que através de uma atuação descentralizada dos vários agentes internacionais, especialmente dos países membros da ONU, unidos em um esforço conjunto, tendo por valores os mesmos princípios, para salvaguardar a dignidade do ser humano, o sistema de proteção aos refugiados ganha muito em eficácia.

Assim, nesse contexto de governança global, enquanto um país estiver recebendo os refugiados, os demais participam da gestão da crise, dividindo os ônus com um programa de realocação das pessoas acolhidas, apoio financeiro e logístico, doações de suprimentos médicos, roupas e alimentos, entre outros necessários.

Desse modo, os efeitos da crise migratória terão menor impacto na população local e os direitos dos refugiados serão mais facilmente garantidos.

Uma estrutura de Governança Global apta a realizar a missão de proteção ao direito dos refugiados passaria, portanto, pelas seguintes etapas: O problema de um será um problema de todos; As dificuldades serão compartilhadas; Apoio financeiro, logístico e envolvimento dos atores internacionais, por meio de uma gestão descentralizada; A coordenação dos esforços confiada à ONU.

Conclusão

Os direitos dos refugiados estão amparados no sistema internacional de proteção trazido pelo Estatuto dos Refugiados e pelo Direito Internacional dos Direitos Humanos. O acolhimento dos refugiados forçados a deixar seu território é, portanto, uma obrigação assumida por todos os países signatários da Convenção de Genebra de 1951. Assim, nenhum dos Estados Contratantes poderia expulsar de seu território um refugiado ou deixar de acolhê-lo.

Além da proteção internacional adotada por todos os Estados contratantes, cada um cunhou, em âmbito interno, legislação própria para regulamentar a questão dos refugiados, fazendo surgir um sistema internacional de proteção aos refugiados.

Desde a Segunda Guerra Mundial até hoje, o mundo não tem notícia de um período de paz absoluta. Alguns conflitos se estendem no tempo e novas guerras surgem, de modo que o deslocamento forçado de pessoas é praticamente uma constante e mesmo com o sistema de proteção aos refugiados criado a parir de 1951, os direitos das pessoas em situação de refúgio não têm sido eficazmente garantidos.

Geralmente, os países que observam um grande influxo de migrantes que deixam seu país de origem em razão de perseguição, crise humanitária, guerra ou por situações climáticas extremas, tem de lhe dar sozinhos com essa problemática. Não é comum a união de outras nações para contribuir com a solução para essas crises migratórias.

Os refugiados, então, dificilmente encontram um acolhimento adequado, com efetiva proteção aos seus direitos. Já os países de destino se veem com um grande contingente de pessoas em situação vulnerável, o que provoca também uma crise interna com reflexos socioeconômicos e uma alta demanda pelos serviços básicos como os de saúde e assistenciais que, muitas vezes suplanta a capacidade do sistema.

Em razão destes problemas internos que se observam quando um país que não está estruturalmente preparado para receber grande número de migrantes experimenta a entrada de milhões de pessoas em situação vulnerável, acabam por surgir o preconceito e a estigmatização dos refugiados pelas populações locais, o comprometimento dos serviços básicos e por consequência o fechamento das fronteiras, o que aumenta ainda mais o drama humanitário.

A guerra da Ucrânia provocou, recentemente, a maior crise migratória na Europa desde a década de 1940. Mais de 6 milhões de ucranianos já cruzaram as fronteiras de seu país buscando asilo em nações vizinhas. Nesse contexto, contudo, se observa que o drama humanitário tem tido uma resposta melhor e mais solidária por parte das nações europeias.

O acolhimento dos ucranianos na Polônia e ajuda coordenada de muitos países que têm garantido recursos financeiros, medicamentos, alimentos e outros itens de primeira necessidade para os refugiados constituem uma forte evidência de que a participação dos diversos atores internacionais na crise representam a melhor solução para a eficaz proteção dos refugiados com a mitigação dos problemas internos no país acolhedor.

Portanto, a adoção de uma Governança Global para a solução das crises migratórias decorrentes do deslocamento forçado de pessoas é a melhor ferramenta de que se pode dispor para solução da problemática, eis que a união de esforços a fim de alcançar, com eficiência, a consecução de um bem comum, dirigida a uma finalidade, consegue, de fato, oferecer uma proteção aos refugiados.

Referências

ACNUR BRASIL. **Artigo de opinião do Alto Comissário do ACNUR – 70 anos da Convenção de 1951 sobre Refugiados**. 2021. Disponível em: https://www.acnur.org/portugues/2021/07/28/artigo-de-opiniao-do-alto-comissario-do-acnur-70-anos-da-convencao-de-1951-sobre-refugiados/. Acesso em 08 jun. 2022.

ACNUR. **Onze anos depois, a Síria continua sendo a maior crise de deslocamento forçado do mundo**. 2022, Disponível em: https://www.acnur.org/portugues/2022/03/15/onze-anos-depois-a-siria-continua-sendo-a-maior-crise-de-deslocamento-forcado-do-mundo/#:~:text=Isso%20foi%20alcan%C3%A7ado%20apesar%20do,de%20refugiados%20per%20capita%20globalmente. Acesso em: 04 jun. 2022.

BBC NEWS. BRASIL. **Migração: o drama que comoveu o mundo e dividiu a Europa**. 2021. Disponível em https://www.bbc.com/portuguese/internacional-55351023#:~:text=Cerca%20da%20metade%20era%20de,desaparecido%2C%20tendo%20provavelmente%20morrido%20afogados. Acesso em 08 jun. 2022.

BBC NEWS. BRASIL. **Por que a guerra da Síria continua após 11 anos?** 2021. Disponível em: https://www.bbc.com/portuguese/internacional-56378202. Acesso em: 05 jun. 2022.

BRASIL. **Decreto nº. 7.030, de 14 de dezembro de 2009**. Promulga a Convenção de Viena sobre o Direito dos Tratados, concluída em 23 de maio de 1969, com reserva aos Artigos 25 e 66. Brasília, DF, dez 2009. Disponível em: < http://www.planalto.gov.br/ccivil_03/_ato2007-2010/2009/decreto/d7030.htm. Acesso em: 04 jun. 2022.

BRASIL. **Decreto nº. 50.215, de 28 de janeiro de 1961**. Promulga a convenção relativa ao Estatuto dos Refugiados, concluída em Genebra, em 28 de julho de 1951. Brasília, DF, jan 1961. Disponível em: < www.planalto.gov.br/ccivil_03/decreto/1950-1969/D50215.htm (http://www.planalto.gov.br/ccivil_03/decreto/1950-1969/D50215.htm)>. Acesso em: 04 jun. 2022.

CNN BRASIL. INTERNACIONAL. **Número de refugiados devido à guerra na Ucrânia ultrapassa 6 milhões**. 2022. Dispononível em: https://www.cnnbrasil.com.br/internacional/numero-de-refugiados-devido-a-guerra-na-ucrania-ultrapassa-6-milhoes/#:~:text=N%C3%BAmero%20de%20refugiados%20devido%20%C3%A0%20guerra%20na%20Ucr%C3%A2nia%20ultrapassa%206%20milh%C3%B5es,-Segundo%20a%20ag%C3%AAncia&text=O%20n%C3%BAmero%20de%20pessoas%20que,quinta%2Dfeira%20(12). Acesso em: 12 jun. 2022.

COMISSÃO SOBRE GOVERNANÇA GLOBAL. **Nossa Comunidade Global**. Relatório da Comissão sobre Governança Global. Rio de Janeiro: Ed. FGV, 1996.

CORREIO BRASILIENSE, **Juiz Federal de Roraima Suspende Entrada de Venezuelanos no Brasil**. Brasília, 06 de ago. de 2018. Disponível em: https://www.correiobraziliense.com.br/app/noticia/brasil/2018/08/06/interna-brasil,699394/juiz-federal-de-roraima-suspende-entrada-de-venezuelanos-no-brasil.shtml. Acesso em: 28 jul. 2021.

GILBERTO, Camila Marques; FRINHANI, Fernanda De Magalhães Dias. **Direitos Humanos e Governança Global: a Ação da Cátedra Sérgio Vieira de Mello na Integração Local dos Refugiados**. Revista de Direitos Humanos e Efetividade, v. 2, Brasília: 2016.

GONÇALVES, Alcindo. **A LEGITIMIDADE NA GOVERNANÇA GLOBAL**. Trabalho apresentado no XV Congresso do Conpedi – Conselho Nacional de Pesquisa e Pós-Graduação em Direito – Manaus, 2006. Disponível em https://www.unisantos.br/upload/menu3niveis_1323730898299_alcindo_goncalves_a_legitimidade_da_governanca_global.pdf. Acesso em: 03 jun. 2022.

GONÇALVES, A.; COSTA, J. A. F. **Governança ambiental global: possibilidades e limites. Direito ambiental internacional: avanços e retrocessos: 40 anos de conferências das Nações Unidas**. Tradução . São Paulo: Atlas, 2015.

GONÇALVES, Alcindo. **O Conceito de Governança**. Trabalho apresentado no XIV Congresso Nacional do Conpedi – Conselho Nacional de Pesquisa e Pós-Graduação em Direito – Fortaleza, 2005. Disponível em https://www.unisantos.br/upload/menu3niveis_1258398685850_alcindo_goncalves_o_conceito_de_governanca.pdf. Acesso em: 02 jun. 2022.

GONÇALVES, Alcindo. **Regimes Internacionais como Ações da Governança Global**. Meridiano 47 vol. 12, n. 125, mai.-jun. 2011. Disponível em: https://www.researchgate.net/publication/277037515_Regimes_internacionais_como_acoes_da_governanca_global. Acesso em: 03 jun. 2022.

INSTITUTO LIBERDADE E CIDADANIA. **Afinal, como e onde estão os refugiados da Guerra na Ucrânia?** 2022. Disponível em: https://www.flc.org.br/estudos_e_debates/afinal-como-e-onde-estao-os-refugiados-da-guerra-na-ucrania/. Acesso em: 12 jun. 2022.

IPEA. **Desenvolvimento Humano no Brasil tem leve crescimento entre 2016 e 2017**. Brasília, 16 de abr. de 2019. Disponível em: https://www.ipea.gov.br/portal/index.php?option=com_content&view=article&id=34681. Acesso em: 30 jul. 2022.

JUBILUT, L. L. **O Direito Internacional dos Refugiados e sua aplicação no ordenamento jurídico brasileiro**. São Paulo: Método, 2007.

MAUAD, Ana Carolina Evangelista. **Governança global: intersecções com paradiplomacia em meio à crise climática**. Revista Brasileira de Informação Bibliográfica em Ciências Sociais - BIB, São Paulo, n. 76, 2.º Semestre, 2016. Disponível em: https://anpocs.com/index.php/bib-pt/bib-78/9990-governanca-global-interseccoes-com-paradiplomacia-em-meio-a-crise-climatica/file. Acesso em: 02 jun. 2022.

MATIAS, E. F. P. **A humanidade contra as cordas: a luta da sociedade global pela sustentabilidade**. Ed. Paz & Terra, 2014.

NASSER, Salem Hikmat. **Desenvolvimento, Costume Internacional e Soft law**. 2008. Disponível em: https://gedirj.files.wordpress.com/2008/02/desenvolvimentocostumeinternacionaloftlawalemnasser.pdf. Acesso em: 08 jun. 2022.

NORTH, Douglass C. **Custos de Transação, Instituições e Desempenho Econômico**. Rio de Janeiro: Instituto Liberal, 1993.

PIOVESAN, F. **Temas de Direitos Humanos**. 7ª ed. São Paulo: Saraiva, 2014.

RAMOS, A. de C. **Teoria Geral dos Direitos Humanos na Ordem Internacional**. 3ª ed. São Paulo: Saraiva, 2013.

RORAIMA. **Decreto 25.681, de 01 de agosto de 2018**. Decreta atuação especial das forças de segurança pública e demais agentes públicos do Estado de Roraima em decorrência do fluxo migratório de estrangeiros em território do Estado de Roraima e dá outras providências. Disponível em: http://www.tjrr.jus.br/legislacao/phocadownload/Decretos_Estaduais/2018/25681_e.pdf. Acesso em: 28 mai. 2022.

ROSENAU, James N. "**Governança, Ordem e Transformação na Política Mundial**". In: ROSENAU, James N. e Czempiel, Ernst-Otto. Governança sem governo: ordem e transformação na política mundial. Brasília: Ed. Unb e SãoPaulo: Imprensa Oficial do Estado, 2000.

SARLET, Ingo Wolfgang. **Dignidade da Pessoa Humana e Direitos Fundamentais na Constituição Federal de 1988**. 5. ed. Porto Alegre: Livraria do Advogado, 2007. Disponível em: https://jus.com.br/artigos/86826/a-tutela-dos-refugiados-venezuelanos-no-brasil-analise-fatico-juridica-a-luz-dos-principios-constitucionais-e-tratados-internacionais. Acesso em: 06 jun. 2022.

STOKKE, OlavSchram. "**Regimes as Governance Systems**". In: YOUNG, Oran R. (ed). Global Governance – drawing insights from the environmental experience. Cambridge and London:

THE ECONOMIST. **"Onwards and upwards – the idea of progress"**. December 19th 2009 – January 1st 2010. Disponível em https://www.economist.com/christmas-specials/2009/12/17/onwards-and-upwards. Acesso em: 07 jun. 2022.

The MIT Press, 1997. Disponível em: https://www.researchgate.net/publication/323058369_Global_Governance_Drawing_Insights_from_the_Environmental_Experience_Oran_R_Young_editor_Cambridge_The_MIT_Press_1998_Reviewed_by_John_H_Bodley. Acesso em: 07 jun. 2022.

TRINDADE, A. A. C.; PEYTRIGNET, G.; RUIZ DE SANTIAGO, J.; INSTITUTO INTERAMERICANO DE DIREITOS HUMANOS; COMITÊ INTERNACIONAL DA CRUZ VERMELHA; ALTO COMISSARIADO DAS NAÇÕES UNIDAS PARA REFUGIADOS. **As Três Vertentes da Proteção Internacional dos Direitos da Pessoa Humana: Direitos Humanos, Direito Humanitário e Direito dos Refugiados**. San José; Brasília: ACNUR: CICV: IIDH, 1996.

PARADIPLOMACIA E GLOBALIZAÇÃO: A ATIVIDADE INTERNACIONAL DOS GOVERNOS SUBNACIONAIS NO BRASIL

*Danilo Lopes de Mesquita [1]**

*Albert Silva Rodrigues [2]***

Introdução

Nas últimas décadas, a interdependência tem se tornado cada vez mais complexa. Apesar dos estados nacionais continuem, sem dúvidas, exercendo um papel primordial na configuração e condução da política mundial, eles, cada vez mais, não estão solitários.

O avanço de novos-velhos atores nas relações internacionais tem acirrado o debate teórico sobre o sistema internacional e as mudanças sistêmicas que se observavam na segunda metade do século XX. A globalização e a defesa de relações "interdependentes" no sistema capitalista apregoavam uma nova

---

[1] * **Danilo Lopes de Mesquita**:
-Graduado em Direito (UEPB).
-Especialista em Direito Administrativo (Universidade Gama Filho), Especialista em Direito do Consumidor (Universidade Candido Mendes).
-Mestrando em Direito Internacional (Universidade Católica de Santos).

[2] ** **Albert Silva Rodrigues**:
-Graduado em Direito (Universidade Presbiteriana Mackenzie).
-Especialista em Direito Imobiliário (Universidade Cândido Mendes), Especialista em Direito Notarial e Registral (Faculdade Prominas).
-Mestrando em Direito Ambiental (Universidade Católica de Santos), e Mestrando em Políticas Públicas (Universidade de Mogi das Cruzes).

composição nas relações de poder do sistema internacional, palco onde governos não centrais começaram a ganhar espaço pela importância relativa que os mesmos exerciam dentro e fora dos seus territórios nacionais e nas sociedades que influenciavam de uma forma peculiar.

O crescimento da relevância dos espaços urbanos tem ajudado a ampliar os questionamentos sobre o papel do Estado na vida econômica. Embora as cidades tenham adquirido maior importância a partir da globalização econômica, há limites sobre como esta interação, e tampouco representa uma afronta às estruturas estatais, apresenta-se no cenário internacional.

A partir disso, o conceito de paradiplomacia é desenvolvido com um debate intelectual que se traduz, também, como um subproduto do debate das relações internacionais e do direito internacional. Se por um lado a paradiplomacia foi identificada como uma consequência da globalização econômica, por outro, ela não pode ser encarada apenas como uma forma de contestação do poder do Estado.

De maneira geral, entende-se que a paradiplomacia, ou as relações internacionais dos entes subnacionais, não é uma ação em via de negar o poder estatal, mas sim um reflexo das sociedades em rede. As ações internacionais dos entes subnacionais são, portanto, consequência da interação e integração de cadeias internacionais de produção, consumo e de pessoas. Elas podem ser orientadas a partir de agendas particulares dos entes subnacionais ou, inclusive, de projetos cooperativos e coordenados, com ou sem a participação de governos centrais.

A partir deste pensamento, os impactos produzidos pela globalização nos territórios locais e o advento das novas tecnologias de comunicação, notadamente a Internet, abriram caminho para que as unidades subnacionais buscassem o estabelecimento de relação, cooperação e inserção internacionais de forma paralela e não concorrencial às iniciativas do Estado nacional. A interdependência que afeta o sistema internacional tornou-se referência obrigatória para o debate da paradiplomacia.

O globo encolheu-se de tal modo que se transformou em uma janela de oportunidades e desafios para humanos, empresas, organizações não-governamentais, diversos níveis de governo e, inclusive, redes de crimes e de terror. Contexto esse incrivelmente globalizado e complexo que adentramos na chamada paradiplomacia.

Popularmente falando, o aumento da interdependência e interconexão econômica é a face mais visível da etapa mais recente do fenômeno da globalização. Entretanto, a economia é apenas uma das facetas desse fenômeno. As transformações que definem a globalização são, de sobremaneira, tatuadas por outras dimensões igualmente importantes e fortemente trançados: política, militar, ecológica, social e cultural.

Com estas premissas, no que tange à dimensão política, um dos fatores relevantes é o crescente envolvimento de novos atores na cena internacional, resultando em uma intensificação das relações transnacionais.

1. Paradiplomacia e Globalização: Breve História e Conceito

Analisando o passado, as cidades agiam como verdadeiros centros de interesses que, alheios à estrutura nacional, possuíam agendas próprias para consecução de seus interesses. A par dessa constatação, nas últimas décadas inúmeras transformações aconteceram. A globalização econômica e a consequente interdependência no sistema internacional fizeram surgir um crescente questionamento sobre a estrutura e o papel do Estado, principalmente frente aos novos atores internacionais.

Apesar da paradiplomacia representar um conceito novo e recente, sobretudo respaldado no pós Guerra Fria, deve-se evidenciar que a atuação internacional dos atores subnacionais é uma prática histórica. Para Maurício Fronzaglia (2006, p. 5), ainda na Grécia Antiga as cidades-estados e cidades, propriamente ditas, já formavam grandes associações comerciais e econômicas. Uma nova agenda internacional e novos atores começaram a tomar forma ainda nas décadas de 1970 e 1980, período em que autores como Robert Keohane e Joseph Nye (1989) já apontavam a existência da "interdependência complexa" em virtude do aumento do contato entre países por conta dos fluxos de dinheiros, bens, pessoas, informações e serviços, isto é, a chamada sociedade em rede.

O fim da Guerra Fria serviu de demarcação política e social que transformou a ordem internacional antes baseada na bipolaridade, caracterizando-se como um dos grandes marcos de ruptura da política, econômica e social internacional.

A partir daí um "novo Estado" tomou forma por meio da "nova lógica estatal" (MARIANO, 2007), caracterizada por três pontos principais: o Estado deixou de ser considerado um ente político isolado; passou a ser influenciado por redes transnacionais e intergovernamentais de decisão; e, por último, começou a maximizar as resoluções de conflitos por meio da cooperação internacional. O Estado perdeu a capacidade de responder isoladamente às demandas do Sistema Internacional e não conseguiu mais prover bens e serviços essenciais às populações em sua totalidade. Com esse novo ordenamento, foi necessário abstrair a linha divisória entre nacional e internacional para se compreender as relações entre os sujeitos e atores internacionais.

A simbologia dos governos centrais e nacionais é imprescindível, mas o reordenamento de poder provocou resultados diretos nos Estados que se "moldaram" para permanecerem com extenso grau de influência mundial. Não significa, pois, que foi somente no pós Guerra Fria que novos atores e temas, bem como uma maior predileção por relações de cooperação, surgiram. Na verdade, isso fez parte de um processo de décadas anteriores de certa forma consolidado na década de 1990, período em que a globalização e a interdependência foram dois fatores vitais para a abertura das fronteiras e a consequente descentralização de suas políticas nacionais e internacionais.

Entende-se, por globalização, a ação à distância, interdependência acelerada, compressão espaço-temporal, integração global, mundo em constante encolhimento, reordenação das relações de poder interregionais e consciência da situação global (HELD; MCGREW, 2001). Embora observada, por vezes, somente pelo viés econômico, a globalização possui efeitos em mesmo grau de importância e transformações políticos e sociais (WEISS, 2000). Não é demais lembrar, mais uma vez, que o pós Guerra Fria intensificou essa expansão das trocas comerciais e pelo aumento dos fluxos de capitais entre diferentes países, ou seja, por meio de um novo ciclo de expansão do modo de produção capitalista moderno.

A Globalização pode ser entendida como estimuladora de um novo espectro espacial e acaba agindo no âmbito da política internacional, pois impacta diretamente no aumento do número de atores internacionais que passaram a agir com maior preponderância no Sistema Internacional a partir da década de 1990. Nos dizeres de Francisco Gomes Filho (2011), ela passou a impulsionar processos de integração regional, alterou as diretrizes e os papéis desempenhados pelos governos, bem como promoveu o desconhecimento das fronteiras nacionais, que são virtualmente transpassadas nos dias atuais.

A respeito do processo de reordenamento das políticas estatais, outras grandes gamas de estudos sobre a paradiplomacia centralizaram suas análises em torno das redes de cidades e da integração regional. Para Manuel Castells (1999), uma "rede" representa uma série de nós interconectados e sugere vínculos e relações entre diferentes indivíduos e organizações. Consequentemente, uma rede de cidades compreende a configuração de tais entidades com uma tecnologia mínima, permitindo a troca de informações, o estabelecimento de uma agenda mútua e o estreitamento de laços de cooperação internacional e nacional. Em estudo publicado à época, Rodrigo Tavares (2016), afirmou existir cerca de 125 redes multilaterais e fóruns de atores subnacionais, a exemplo das Eurocidades, Mercocidades, das Cidades e Governos Locais Unidos (CGLU), dos Governos Locais para a Sustentabilidade (ICLEI), da Aliança Eurolatinoamericana de Cooperação entre Cidades (AL-LAS) e do Comitê das Regiões (CoR). Hoje em dia, meados do ano de 2022, esse número já é bem maior e representa, também, tanto em termos numéricos como em termos proporcionais, uma maior importância dessas inúmeras redes no cenário internacional.

Um ator internacional, que corresponde à unidade do sistema internacional, seja ela uma entidade, um grupo ou um indivíduo, com habilidade para mobilizar recursos, capacidade para exercer influência sobre seus semelhantes e que goza de relativa autonomia (BARBÉ, 1995, p. 117), surgiu ao longo dos séculos. Portanto, o mundo pós Guerra Fria não evidencia o surgimento de atores, mas o grau de elevação de suas participações em esfera global comparado com décadas e séculos anteriores. Na década de 1990, houve um aumento considerável da criação de organizações internacionais, a exemplo dos blocos regionais da União Europeia (1992) e do Mercosul (1991), além da consolidação da Organização Mundial do Comércio (OMC), em 1995.

A partir de todas essas premissas históricas, podemos identificar, com base nos apontamentos de Maria Inês Barreto (2005), que o primeiro ponto a se destacar é que grande parte da literatura inicial sobre paradiplomacia tem forte influência anglo-saxônica, tendo em vista que o tema foi explorado no último quarto do século XX por estudos que versavam sobre casos da América do Norte e da Europa. Nesse contexto, destacam-se produções de dois pesquisadores pioneiros no tema: Panayotis Soldatos (1990) e Ivo Duchacek (1984, 1990), considerados os "pais" da paradiplomacia (ZERAOUI, 2013, p. 19).

> *"Panayotis Soldatos foi o primeiro scholar a empregar o rótulo de paradiplomacia para designar as variadas formas de ações externas de atores subnacionais" (BUENO, 2010, p. 24).*

Segundo o autor, a paradiplomacia representa a pluralidade de vozes na política externa representada por unidades governamentais não centrais, as quais podem apoiar, complementar, corrigir, duplicar ou desafiar a diplomacia central do Estado. Soldatos (1990) divide o fenômeno em duas espécies: a paradiplomacia global, que possui abrangência global, propriamente dita, e a paradiplomacia regional, que detém alcance mais restrito, sustentando comunidades geograficamente contíguas ou não, como os blocos econômicos regionais.

Para o professor, "[...] a atividade subnacional mina a noção de uma política externa como atributo essencial do Estado soberano" (SOLDATOS, 1990, p. 41, tradução nossa). Assim sendo afirma que, mesmo tendo majoritariamente nuances de cooperação e complementação entre os níveis subnacional e nacional, existem certos processos de desarmonia e fragmentação que conformam as chamadas "protodiplomacia" e "paradiplomacia identitária". A primeira é entendida como a condução de relações internacionais por governos não centrais que têm como objetivo o estabelecimento de um Estado soberano (AGUIRRE, 1999). Se a paradiplomacia é mais cooperativa, de maneira oposta a protodiplomacia é separatista.

Já Stéphane Paquin (2004) propõe a existência de três níveis de análise da paradiplomacia, seja clássica ou tradicional, integracionista e identitária. Esta última difere-se parcialmente da protodiplomacia, porque não apresenta um critério de segmentação estatal aliado a um novo estabelecimento de independência. Na visão do autor, a paradiplomacia identitária objetiva proporcionar aos atores internacionais o acesso a recursos simbólicos e materiais ausentes no interior do Estado.

> *É verdade que o desenvolvimento da paradiplomacia tem o potencial para criar conflitos, mas, na atual ordem internacional, atividades paradiplomáticas são inevitáveis, talvez indispensáveis, para atrair investimentos estrangeiros, promover o desenvolvimento económica ou, para uma região europeia, por exemplo, ter os recursos dos fundos europeus [...] Consequentemente, do ponto de vista nacional, os Estados não devem considerar as ações internacionais de entidades subestatais como uma ameaça à integridade de sua política externa. Eles deveriam, acima de tudo, procurar criar novos modos de colaboração, novas parcerias e uma melhor divisão dos papéis nas relações internacionais. (PAQUIN, 2004, p. 207-208, tradução nossa).*

Retornando às abordagens clássicas, Soldatos (1990) enseja que a paradiplomacia é um processo de racionalização da política externa na medida em que determinada política central de um país aceita o papel desenvolvido pelos atores subnacionais como complemento de seu esforço internacional. Tal panorama gera o que o autor denomina "politização", um cenário de adição de interesses entre diferentes instâncias governamentais.

Outro estudioso do assunto que chamou a atenção foi Ivo Duchacek (1984), que, por sua vez, diferencia duas formas de resultado da paradiplomacia. Denomina de "microdiplomacia global" ao padrão ou norma que compreende a procura de cooperação política e econômica com grandes centros de poder por parte dos governos subnacionais e de "regimes de transbordamento regional" aos processos formais e informais de criação de associações cooperativas entre autoridades subnacionais geograficamente contíguas ao longo de fronteiras.

Também se observa na obra do autor a ênfase aos instrumentos intermésticos, representando a mistura de políticas e economias domésticas com as internacionais, dando ideia de que há uma relação constante entre diversos atores no interior do Estado e fora dele (MANNING, 1977 apud DUCHACEK, 1984), entre governos nacionais e subnacionais, afirmando que podem existir novos canais de consulta, relações interadministrativas, reinterpretações constitucionais e ligação direta entre o âmbito subnacional e as Organizações Internacionais. Por fim, Duchacek (1990) aponta que as relações internacionais dos governos subnacionais têm objetivos predominantemente técnicos, econômicos e políticos.

Fora Soldatos (1990) e Duchacek (1984, 1990), uma série de autores começou a trabalhar com o conceito em questão. Enquanto alguns mantiveram a terminologia, mas deram outro significado a ela, outros, além de problematizar seus possíveis significados, aderiram a sinônimos e conceitos correlatos, por exemplo, Zidane Zeraoui (2013), para quem a paradiplomacia representa as atividades internacionais de sub-regiões, de atores não estatais ou até mesmo o desenvolvimento de relações internacionais por parte de entidades subestatais.

Importante apontamento foi trazido por John Kincaid (1990), conhecido por denominar de “diplomacia constituinte” a atividade internacional de estados, províncias, repúblicas, municipalidades e até mesmo autoridades portuárias. Sua concepção de paradiplomacia se centraliza em um meio termo entre cooperação e conflito, pois afirma que os principais benefícios da diplomacia constituinte são de ordem econômica e, muitas vezes, os âmbitos políticos acabam por gerar fortes embates com o governo central.

André Lecours (2002, 2008) assinala que a paradiplomacia é um fenômeno de desenvolvimento de governos regionais nas Relações Internacionais, constituindo-se em um meio multifuncional para a promoção de interesses e identidades subnacionais. Similarmente à concepção de Michael Keating (2000), o autor distingue três tipos de paradiplomacia: econômica, cooperativa e política. Estes representam, respectivamente, a atração de investimentos e a busca por novos mercados; a assistência cultural e tecnológica envolvendo cooperação internacional; o desenvolvimento de questões nacionalistas e identitárias, a exemplo do que foi pontuado anteriormente sobre o termo "protodiplomacia".

Robert Kaiser (2003 apud MAGONE, 2006, p. 6) distingue três tipos de paradiplomacia adotadas no período após os anos 1990, sendo que os nomes são os mesmos dados por Soldatos (1990) e Duchacek (1984, 1990): paradiplomacia regional transfronteiriça, transregional e global. Como complemento, José Magone (2006) argumenta que o próprio Kaiser esqueceu de mencionar uma outra tipologia importante da paradiplomacia: a transnacional, a qual ocorre no interior dos blocos econômicos regionais.

Com o mesmo modo de pensar, Noé Cornago Prieto (2004) mantém a alcunha terminológica da paradiplomacia e dá a ela uma das mais utilizadas conceitualizações do termo na academia. Para o autor, a paradiplomacia é um fenômeno pleno que precisa de maior evidência empírica.

Stefan Wolff (2007) afirma que a paradiplomacia é a política externa das entidades subestatais e suas participações no cenário internacional de acordo com seus próprios interesses. O argumento do autor difere-se do restante por apontar que, ao invés de uma ameaça, a paradiplomacia pode ser observada como uma oportunidade de controle e resolução de conflitos. Conforme sustenta, os atores subnacionais progressivamente adquirem uma competência que é transferida pelos Estados em suas direções, já que a descentralização decisória acaba fazendo parte das relações internacionais justamente no pós Guerra Fria.

Por seu lado, destaca-se o artigo de Peter Bursens e Jana Deforche (2010) por apresentar uma compilação de grande parte dos estudos mencionados anteriormente e definir a paradiplomacia como um esforço para entender e explicar as competências regionais em termos de política externa. Sistematizando sinônimos e os mais variados significados da academia à paradiplomacia, os autores enumeram que ela pode ser: inserção internacional de regiões com objetivos econômicos, ação direta internacional dos atores subnacionais que desafiam ou complementam as políticas centrais estatais, atividade internacional de governos não centrais que relacionam níveis domésticos e internacionais ou o envolvimento externo de regiões dentro das organizações internacionais e blocos econômicos. Para este último caso, dá-se o nome de "diplomacia plurinacional" (BURSENS; DEFORCHE, 2010).

2. Governos Subnacionais e sua Atividade Internacional

O aprofundamento do conceito de paradiplomacia remete à necessidade de compreender melhor o significado de "entes subnacionais". A abordagem de entes subnacionais pode ser feita de maneira ampla, englobando diversos atores que cumprem papel político dentro de um Estado Nacional (Estados federados, Municípios, organizações não-governamentais, autarquias, dentre outros) ou de maneira mais restrita, onde um desses atores é analisado em separado, com o objetivo de entender o seu impacto e a sua importância dentro de determinado processo desenvolvido por entes nacionais. Analisaremos aqui os entes que fazem parte da administração pública direta, no caso do Brasil, trata-se dos Estados e Municípios, que são integrantes do sistema federativo.

Formalmente, em termos jurídicos, os governos subnacionais não podem atuar de maneira direta a nível internacional. Sob a ótica das relações internacionais, o Estado nacional é o único detentor da capacidade de representação nos espaços de articulação globais. Todavia, na prática, vivencia-se uma época de atuação ativa de Governos subnacionais dos mais diversos países, de modo que os referenciais teóricos têm se alterado devido à mutabilidade e a fluidez dessas novas relações. (KUGELMAS; BRANCO, 2005, p. 164-167).

Não há nenhuma novidade em afirmar que os governos locais têm cada vez mais importância nos rumos da política externa dos países dos quais fazem parte, já que sua atuação envolve todos os domínios do plano internacional, desde questões militares a questões de direitos humanos. O fator econômico é também relevante na atuação internacional dos entes subnacionais, já que há a possibilidade de ampliar exportações e atrair investimentos. (RIBEIRO, 2009, p. 35-39).

São bem pontuadas em Branco (2011, p. 60) as razões econômicas que levam os Governos subnacionais à atuação externa. A arena internacional possibilita aos entes subnacionais a venda dos seus produtos (promoção das exportações), a implementação de soluções tecnológicas para a sua modernização, a promoção dos seus destinos turísticos, a criação de empregos diretos e indiretos, entre outros.

Dentre outros de mesma importância, um dos fatores que levou ao desenvolvimento do debate acerca da atuação internacional de Governos subnacionais foi o movimento transfronteiriço. Os Estados nacionais que apresentam zona de fronteira com outros países tiveram uma intensificação das integrações de cunho econômico, social e cultural no século XX, apresentando assim novas necessidades institucionais.

A atividade internacional de governos subnacionais se consolidou em todo o mundo. É uma necessidade prática, inerente às mudanças de cunho tecnológico, econômico, social e político vivenciadas nos séculos XX e XXI, nos quais as relações exercidas no âmbito institucional avançaram (e seguem avançando) no caminho da interdependência.

Isso fica límpido no Brasil, onde a própria formulação de políticas públicas por Estados e Municípios precisa ser levada em conta em virtude da relevância dos aspectos internacionais no dia a dia. E exatamente por ser um elemento constante, é essencial entender em que esfera um ente subnacional pode atuar no âmbito externo, ou seja, quais os limites para o exercício dessa atuação. (VIGEVANI, 2006, p. 129-130). Se os Estados e Municípios, formalmente (de jure) não possuem capacidade internacional (não são sujeitos do direito internacional público), materialmente (de facto) há, por vezes, intensa participação destes em cooperações internacionais, protocolos, acordos de irmanamento, ou em outras formas de atuação (VIGEVANI, 2006, p. 130).

É importante destacar, conforme Hocking (1993, p. 19), que os Governos subnacionais (no caso específico da obra de Hocking, os entes federados) não são meras subdivisões administrativas dos governos nacionais: são espaços políticos com significativo grau de autonomia, com capacidade decisória e com vínculos identitários específicos ligados ao seu território e sua cultura, ou seja, sua essência é também constituída por elementos típicos de Estados soberanos.

A atividade de governos subnacionais no âmbito internacional é uma marca da segunda metade do Século XX. O fenômeno da globalização, que abrange os avanços tecnológicos dos meios de comunicação, o livre fluxo de capitais, o surgimento de corporações multinacionais, dentre outros, veio acompanhado de mudanças nas economias nacionais, alterando a percepção acerca da soberania estatal de uma determinada nação.

Outro ponto crucial de entendimento o que se chama de interdependência, pois faz com que os Estados nacionais alterem a sua percepção de autossuficiência. Diante das mudanças constantes a nível global, sobretudo no aspecto econômico, os países passaram a priorizar a articulação comercial com outras regiões; tal movimento foi acompanhado pelos entes subnacionais, que também passaram a buscar mais a esfera internacional, mesmo que sob supervisão dos governos centrais, com o fim de ampliar o seu potencial competitivo, buscando novas tecnologias e novos mercados. (KUGELMAS; BRANCO, 2005, p. 182).

3. A Atividade Internacional dos Estados e Municipios e seus Limites Jurídicos no Brasil

O arcabouço jurídico brasileiro é vasto no tema em análise. O artigo 21 da Constituição Federal de 1988 há a previsão das competências exclusivas da União, dentre elas, a do inciso I, que estabelece a competência deste ente para "manter relações com Estados estrangeiros e participar de organizações internacionais" (BRASIL, 1988). Todavia, em seu artigo 52, a Constituição Federal de 1988 possibilita ao Senado Federal "autorizar operações externas de natureza financeira, de interesse da União, dos Estados, do Distrito Federal, dos Territórios e dos Municípios". (BRASIL, 1988).

No ano de 2005, iniciou-se na Câmara dos Deputados a tramitação uma Proposta de Emenda à Constituição (PEC), de número 475/2005, a qual propunha a adição de um segundo parágrafo ao artigo 23 da CF-1988, para permitir que Estados e Municípios celebrassem acordos ou convênios com seus equivalentes estrangeiros, mediante prévia autorização da União.

> *Art. 23, §2º - Os Estados, Distrito Federal e Municípios, no âmbito de suas respectivas competências, poderão promover atos e celebrar acordos ou convênios com entes*

> *(sic) subnacionais estrangeiros, mediante prévia autorização da União, observado o artigo (sic) 49, e na forma da lei. (PEC 475/2005)*

No entendimento do autor da Proposta, o então deputado federal André Costa (PDT-RJ), apesar da atribuição de exercer política externa ser da União, os Estados e Municípios brasileiros, a partir da redemocratização, passaram a firmar convênios importantes para o desenvolvimento econômico, cultural e científico com outros entes locais e regionais (e até mesmo nacionais), e, por isso, havia a necessidade de inserção desse tema na Constituição Federal. (BRASIL, 2005).

A referida PEC, no entanto, foi arquivada em 2007 após tramitação na Comissão de Constituição e Justiça e de Cidadania (CCJC). O parecer do relator, deputado federal Ney Lopes (PFL-RN), foi pela inadmissibilidade da PEC 475/2005, por entender que haveria "subversão da ordem federativa ao restringir a autonomia estatal prevista no artigo 18 da Constituição da República" (BRASIL, 2006). Nesse sentido, ainda no entendimento do relator, não haveria motivo para a União "autorizar" os Estados e Municípios a celebrar tais acordos, pois o artigo 18 garante a autonomia dos entes federativos.

Interpretação essa quadrada e desarticulada dos entendimentos modernos, apesar de o texto constitucional proposto não ser o mais adequado, a autonomia dos entes federativos, prevista no artigo 18, não ilide a competência privativa da União e do Presidente da República sobre certas matérias, previstas nos artigos 21, 22 e 84 da CFRB/1988. E dentre estas competências, estão a do artigo 21, inciso I, e do artigo 84, incisos VII e VIII, que restringem à União e ao Presidente da República a competência para manter relações com Estados estrangeiros e celebrar tratados, acordos e atos internacionais.

Portanto, não se pode desconsiderar que a Constituição de 1988 determinou que somente a União é o ente responsável pela condução das relações externas do país. Assim, ao contrário do que fora dito no parecer, não há hoje no nosso ordenamento reconhecimento legal para o exercício da paradiplomacia por Estados e Municípios. A proposta de emenda à Constituição tinha por objetivo autorizar, de maneira expressa, a participação dos governos subnacionais brasileiros na celebração de acordos internacionais. (CASTELO BRANCO, 2011, p. 114-115).

Dentre as inúmeras críticas a proposta, destacamos a de Rodrigues (2008, p. 1020): ser restritiva demais, já que o seu texto exigia autorização prévia da União para a celebração de qualquer acordo, limitando a autonomia federativa; restringia a atuação aos entes subnacionais estrangeiros, descartando assim os Estados nacionais; e exigia a aprovação do Congresso Nacional. Ainda segundo o autor, apesar do texto da PEC ter sido inspirado em Constituições como a alemã e a argentina, as restrições apresentadas trouxeram limitações ao princípio da autonomia federativa, o que poderia inviabilizar o exercício das ações internacionais de Estados e Municípios brasileiros.

Importante ressaltar que a Constituição privilegia a União para diversas competências internacionais, inclusive a de manter relações com Estados estrangeiros. Ou seja, o sistema federativo brasileiro é majoritariamente centralizado. Em uma análise mais restritiva, há um evidente descompasso entre o que preconiza a Constituição e o que ocorre hoje no campo fático no Brasil. Os Estados e Municípios brasileiros exercem hoje um papel singular na articulação internacional, inclusive com outros países (enquanto entes soberanos, atores tradicionais da arena internacional) e seus respectivos Estados e Municípios.

A título de reflexão, Lafer (2018, p. 404) analisa as dificuldades no âmbito internacional de delimitação da licitude ou ilicitude no fenômeno transnacional de natureza econômica. Ou seja, no âmbito da Organização das Nações Unidas, há também o reconhecimento da necessidade de se criar códigos de conduta (o que, no âmbito nacional, se assemelha às leis), que garantam um mínimo de coerência dentro da lógica de mercado multilateral. Assim, a regulamentação é o caminho que pode estabelecer bases mais seguras de atuação internacional para os Estados e Municípios.

Há uma dicotomia entre a legislação e a doutrina brasileiras. De um lado, tem-se as opiniões doutrinárias e os direcionamentos constitucionais, restritivos quanto ao exercício da política externa e à atuação internacional de governos subnacionais. Em sentido diverso, na prática cotidiana de diversos Estados e Municípios brasileiros, a atividade externa como parte comum da rotina dos entes federados, inclusive em ações formais, a exemplo da concretização de acordos de cooperação diretos (PRAZERES, 2004, p. 285-286).

No entendimento de Banzatto (2015, p. 11), a ausência de previsão normativa expressa é um fator limitante para a formalização da atuação internacional dos governos subnacionais brasileiros. O autor entende que os acordos internacionais celebrados por Estados e Municípios não possuem força jurídica. A partir da análise do ordenamento jurídico brasileiro e do Direito Internacional Público, constata-se que os compromissos jurídicos assumidos pelos governos subnacionais pátrios no âmbito internacional, a priori, não possuem validade, ou seja, não podem ser posteriormente exigidos, tendo em vista a ausência de personalidade jurídica internacional desses entes (PRAZERES, 2004, p. 303).

A prática diária, todavia, demonstra que há acordos firmados internacionalmente de maneira direta pelos Estados e Municípios brasileiros. Somente por esse fato, já se evidencia um cenário de insegurança jurídica quanto à atuação internacional dos governos subnacionais brasileiros.

Os Estados e Municípios brasileiros enfrentam, na temática da atuação internacional, um entrave legal: não há no ordenamento jurídico pátrio nem competências definidas nessa seara, nem reconhecimento legal expresso para a prática, com a ressalva das transações financeiras mediante autorização do Congresso (art. 52, V).

Entretanto, em contradição com o sistema legal, há atividade externa por parte dos entes que superam o arcabouço jurídico, de modo que se impõe o debate acerca da modificação ou criação de normas constitucionais e legais com o fim de regulamentar a situação (RODRIGUES, 2004, p. 451).

Considerações Finais

O período da década de 1990, marcado pelo fim da Guerra Fria, pela intensificação da Globalização e pela emergência de novos atores internacionais, não representa o patamar inicial, mas a consequência de um processo empírico que caminhou ao longo das últimas décadas do século XX.

A inserção internacional de governos subnacionais é um fenômeno de caráter muito particular, em especial por se manifestar de distintas formas em diferentes locais, níveis e esferas de governo. O fluxo de capitais, de pessoas e de informações traz consigo aspectos não antes vivenciados pela sociedade internacional, relativamente às realidades locais. A interdependência global levou à ampliação da confiança na ação cooperativa entre os Estados nacionais, os governos subnacionais e as demais organizações que compõem a arena internacional hodiernamente.

Concomitante e de mãos dadas a paradiplomacia, a globalização exerce papel fundamental neste mister de unir a sociedade mundial, facilitando o entrelaçamento dos mais diversos assuntos nos mais diversos locais.

Neste contexto internacional, por mais que se tenha dado luz ao debate sobre os novos atores internacionais (cidades, regiões, empresas etc.), o processo de globalização e o ambiente retórico construído para legitimar a diluição do papel do Estado no sistema internacional tem um certo limite. Por mais que se possa indicar uma suposta diluição deste poder centralizador, mesmo entendendo o sistema internacional como um ambiente anárquico, isto não quer dizer, necessariamente, que os governos não centrais buscaram se "atomizar" dentro das unidades nacionais de forma homogênea, pois as possibilidades de participar dos diferentes níveis do processo de globalização são dramaticamente regionais, uma vez compreendido que a globalização é um processo assimétrico. Neste aspecto, é racional que as partes escolham cooperar.

Na experiência brasileira, a paradiplomacia foi muito mais uma identificação de causalidade e oportunismo do que algo planejado e desenvolvido. Na verdade, a atividade internacional dos governos subnacionais tomou uma proporção de grandeza e importância, associado a necessidade de se comunicar com o mundo de forma independente, que restou lógico o avanço e desenvolvimento dessa atuação internacional.

A Constituição Federal Brasileira não acompanhou o tema, e apesar dos avanços em 1988, alguns limites formais foram impostos no texto, mas, na prática e efetivamente, os governos subnacionais, diante das necessidades já aqui ditas, não se balizam pelo formalismo e limites constitucionais.

Por todo o exposto, paradiplomacia é uma realidade consolidada e sem volta em todo o mundo, e essa atividade por governos subnacionais está enraizada na geopolítica do direito internacional, e não podemos falar em afronta ameaçadora da unidade política no Brasil.

Referências Bibliográficas

BANZATTO, Arthur Pinheiro de Azevedo. **A inserção internacional dos governos subnacionais brasileiros através da diplomacia federativa e da paradiplomacia.** In: Encontro Nacional da ABRI, 5. 2015, Belo Horizonte. Anais. Disponível em: http://.encontronacional2015.abri.org.br/site/anaiscomplementares?AREA:14 Acesso em: 10 mai. 2022.

BARBÉ, E.. **Relaciones internacionales**. Madrid: Tecnos, 1995.

BARRETO, M. I. **A inserção internacional das cidades enquanto estratégia de fortalecimento da capacidade de gestão dos governos locais.** In: CONGRESO INTERNACIONAL DEL CLAD SOBRE LA REFORMA DEL ESTADO Y DE LA ADMINISTRACIÓN PÚBLICA, 10, 2005, Santiago, Chile. Anais... Santiago: Centro Latinoamericano de Administracción para el Desarrollo, 2005. p. 1-14.

BATISTA, S.; LIMA, M. F. F.; FRONZAGLIA, M.. **Redes de ciudades.** Barcelona: Obsertavorio de Cooperación Descentralizada de la Unión Europea de la America Latina, 2006. Disponível em: <http://goo.gl/jhHudG>. Acesso em: 8 mai. 2022.

BRASIL. Congresso Nacional. 2006. **Parecer do relator, Dep. Ney Lopes (PFLRN), pela inadmissibilidade da PEC 475/05.** Disponível em: <https://camara.goc.br/proposicoesWEB/prop_mostraintegra?codteor=353232 &filename=TramitacaoPEC+475/2005. Acesso em: 15 mai. 2022.

______. Congresso Nacional. 2005**. PEC permite a estado e município fazerem acordo externo.** Disponível em:<http://www.2.camara.leg.br/camaranoticias/noticias/ADMINISTRACAO-PUBLICA/81342-PEC-PERMITE-A-ESTADO-E-MUNICIPIO-FAZEREM-ACORDO-EXTERNO.html>. Acesso em: 15 mai. 2022.

______. Constituição (1988). **Constituição da República Federativa do Brasil.** Brasília, DF: Senado, 1988.

BUENO, I. **Paradiplomacia contemporânea: trajetórias e tendências da atuação internacional dos governos estaduais do Brasil e EUA**. 2010. 350 f. Tese (Doutorado em Relações Internacionais) – Universidade de Brasília, Brasília, DF, 2010.

BURSENS, P.; DEFORCHE, J., **Going beyond paradiplomacy? Adding historical institutionalism to account for regional foreign policy competences**". The Hague Journal of Diplomacy, Duluth, v. 5, n. 1-2, p. 151-171, Belgium, 2010.

CASTELLS, M.. **A sociedade em rede. A era da informação: economia, sociedade e cultura.** Tradução Roneide Venâncio Majer. São Paulo: Paz e Terra, 1999. v. 1.

CASTELO BRANCO, Álvaro Chagas. **Paradiplomacia & entes não-centrais no cenário internacional.** Curitiba: Juruá, 2011.

DUCHACEK, I.. **Perforated sovereignties towards a typology of new actors in international relations**. In MICHELMANN, H.; SOLDATOS, P. (Eds.). Federalism and international relations: the role of subnational units. Oxford: Claredon Press, 1990. p. 1-33.

DUCHACEK, I. **The international dimension of subnational self-government. Publius**, Ann Arbor, v. 14, n. 4, p. 5-31, 1984.

GOMES FILHO, F.. **A paradiplomacia subnacional no Brasil: uma análise da política de atuação internacional dos governos estaduais fronteiriços da Amazônia.** 2011. 276 f. Tese (Doutorado em Relações Internacionais e Desenvolvimento Regional) – Universidade de Brasília, Brasília, DF, 2011.

HELD, D.; MCGREW, A.. **Prós e contras da globalização**. Tradução Vera Ribeiro. Rio de Janeiro: Jorge Zahar, 2001.

HOCKING, Brian. **Localizing Foreign Policy: Non-Central Governments and Multilayered Diplomacy**. Nova Iorque: St. Martin's Press, 1993.

KEATING, M. **Regiones y asuntos internacionales: motivos, oportunidades y estrategias**. In: ALDECOA, F.; KEATING, M. (Eds.). Paradiplomacia: las relaciones internacionales de las regiones. Madrid: Marcial Pons, 2000. p. 11-28

KEOHANE, R.; NYE, J. **Power and interdependence: world politics in transition.** 2. ed. Cambridge: Harvard University Press, 1989.

KINCAID, J. **Constituent diplomacy in federal polities and the nation-state conflict and co-operation.** In: MICHELMANN, H.; SOLDATOS, P. (Eds.). Federalism and international relations: the role of subnational units. Oxford: Oxford University Press, 1990. p. 54-75.

KUGELMAS, Eduardo; BRANCO, Marcello Simão. **Os governos subnacionais e a nova realidade do federalismo.** In: WANDERLEY, Luiz Eduardo; VIGEVANI, Tullo. Governos subnacionais e sociedade civil: integração regional e Mercosul. São Paulo, EDUC; Fundação Editora da Unesp; Fapesp, 2005.

LAFER, Celso. **Relações internacionais, política externa e diplomacia brasileira: pensamento e ação**. Brasília: Fundação Alexandre de Gusmão, 2018, volume 1.

LECOURS, A. **Political issues of paradiplomacy: lessons from the developed world.** The Hague: Netherlands Institute of International Relations 'Clingendael', 2008.

______. **When regions go abroad: globalization, nationalism and federalism.** In: CONFERENCE GLOBALIZATION, MULTILEVEL GOVERNANCE AND DEMOCRACY: CONTINENTAL, COMPARATIVE AND GLOBAL PERSPECTIVES, 16., 2002. Kingston. Proceeding... Kingston: Queen's University, 2002. p. 1-16.

MAGONE, J. **Paradiplomacy revisited: the structure of opportunities of global governance and regional actors**. In: INTERNATIONAL CONFERENCE THE

INTERNATIONAL RELATIONS OF THE REGIONS, SUBNATIONAL ACTORS, PARADIPLOMACY AND MULTI-LEVEL GOVERNANCE, 2006, Zaragoza, Spain. Proceedings... Zaragoza: 2006. p. 1-35

MARIANO, K. L. P. **Globalização, integração e o Estado**. Lua Nova, São Paulo, n. 71, p. 123-168, 2007.

PAQUIN, S. **La paradiplomatie identitaire: Le Québec, la Catalogne et la Flandre en relations internationales**. Politique et Sociétés, Montréal, v. 23, n. 2-3, p. 203-238, 2004.

PRAZERES, Tatiana Lacerda. **Por uma atuação constitucionalmente viável das unidades federadas brasileiras**. In: VIGEVANI, Tullo, et al (Orgs.). A dimensão subnacional e as relações internacionais. São Paulo: EDUC; Fundação Editora da UNESP; Bauru: EDUSC, 2004.

PRIETO, N. C. **La descentralización como elemento de innovación diplomática: aproximación a sus causas estructurales y lógicas de acción**. In: MAIRA, L. (Ed.). La política internacional subnacional en América Latina. Buenos Aires: Libros Del Zorzal, 2010. p. 107-134.

RIBEIRO, Maria Clotilde Meirelles. **Globalização e novos atores: a paradiplomacia das cidades brasileiras.** Salvador: Edufba, 2009.

TAVARES, R. **Paradiplomacy: cities and states as global players.** New York: Oxford University Press, 2016.

VIGEVANI, Tullo. **Problemas para a atividade internacional das unidades subnacionais: Estados e Municípios brasileiros.** Revista Brasileira de Ciências Sociais, n. 62, v. 21, p. 127-139, out 2006.

WEISS, L. **Globalization and State Power. Development and Society**, Ann Arbor, v. 29, n. 1, p. 1-15, 2000.

WOLFF, S. **Paradiplomacy: scope, opportunities and challenges.** The Bologna Central Journal of International Affairs, Bologna, v. 10, p. 1-13, 2007. Disponível em: Acesso em: 23 mai. 2022.

ZERAOUI, Z. (Coord.). **Regionalización y paradiplomacia: la política internacional de las regiones**. 1. ed. Monterrey: Montiel & Soriano, 2009.

COMPLIANCE COMO ESTRATÉGIA PARA APLICAÇÃO DOS PRINCÍPIOS DE ENVIRONMENTAL SOCIAL GOVERNANCE (ESG) E RESPONSABILIDADE SOCIAL EMPRESARIAL (RSE)

Heloize Melo da Silva Camargo [1]*

Introdução

Trata-se de um Capítulo, no qual, para o alcance do objetivo proposto, a metodologia aplicada foi a pesquisa bibliográfica, que consiste no levantamento do material já elaborado e publicado em documentos nacionais e internacionais do tipo artigos científicos publicados e livros com vista a apresentar o tema com base em referências teóricas.

Portanto, a seguir serão descritas características mais específicas da necessidade de mudança de *mindset* [2]do setor privado face a crise ambiental, e crise sanitária como a da covid-19 e demais problemas sociais que impulsionaram a mudança de comportamento das organizações empresariais, que tinham como meta principal auferir lucros.

---

[1] * **Heloize Melo da Silva Camargo**:
-Bacharel em Direito pela Universidade Católica de Santos.
-Mestranda em Direito Internacional na Universidade Católica de Santos.
-Atualmente integra os grupos de pesquisa Federalismo Fiscal pela Universidade de São Paulo e Energia e Meio Ambiente pela Universidade Católica de Santos.
-E-mail: heloizesilvamelo@gmail.com

[2] Tradução do inglês para o Português *Mindset* é o mesmo que Mentalidade ou mudança de mentalidade. Referência: MINDSET. [*S. l.*], 31 dez. 2021. Disponível em: https://www.linguee.com.br/ingles-portugues/traducao/mindset.html. Acesso em: 3 nov. 2021.

Percebe-se, no entanto, que o efetivo lucro vem com bem-estar social, além de que os custos com a reparação de um dano causado a sociedade são superiores ao que seria gasto com as medidas preventivas.

Desta forma, o presente artigo tem como intento apresentar os princípios de ESG (*Environmental Social Governance),* bem como a RSE (Responsabilidade Social Empresarial), e o *compliance* empresarial como mecanismo para aplicabilidade destes princípios, com o fim de tornar essas empresas cidadãs capazes de beneficiar todos os *stakeholders* inclusive contribuindo com o sucesso da própria organização uma vez que se tornam bem-vista perante o mercado de investidores e consumidores.

Entretanto, nota-se que o *compliance* empresarial apesar de poder ser utilizado como mecanismo para o alcance dos princípios de ESG e RSE, devido a sua voluntariedade e variedade de normas, talvez traga uma certa insegurança no que tange a efetividade de aplicação destes princípios.

1. RSE (RESPONSABILIDADE SOCIAL EMPRESARIAL) E ESG (ENVIRONMENTAL SOCIAL GOVERNANCE)

Inicialmente é importante considerar que a crise ambiental, oriunda do aquecimento global e mudanças climáticas trouxe à tona a necessidade de adoção de práticas sustentáveis. Por outro lado, a pandemia do coronavírus deixou mais latente os problemas associados a degradação ambiental expondo nossas fragilidades econômicas e sociais, nos impulsionando em decorrência disso a agir e se posicionar de maneira responsável, a fim de nos tirar do caminho rumo ao colapso social, ambiental e econômico.

Outro aspecto não menos relevante, é o fato de que o setor privado desempenha um papel de extrema relevância dentro da sociedade, visto que as empresas possuem funções sociais, quais sejam: geração de oportunidades, geração de empregos, movimento da economia, além de que muitas ações empresariais acabam por impactar diretamente no ambiente social e ambiental, logo a conscientização dos líderes coorporativos quanto a aplicação dos princípios de RSE (Responsabilidade Social Empresarial) e ESG *(Environmental Social Governance)* pode ser uma eficaz estratégia para o conseguimento dos Objetivos de Desenvolvimento Sustentável em diversos aspectos beneficiando todos os atores dentro de um contexto social. [3]

Constata-se, que a responsabilidade social das empresas (RSE) no que se refere ao desenvolvimento sustentável deve integrar as políticas internas dela para que se efetive o alcance e a preservação do meio ambiente e consequentemente o bem-estar social, esta por sua vez, constitui uma nova vertente de atuação empresarial, tendo em vista que a internalização deste princípio em seus códigos de condutas poderá contribuir em grandes proporções com o avanço social e ecológico.

Sendo assim, agir com responsabilidade socioambiental, é preocupar-se com as consequências que determinadas ações podem causar às pessoas. Por

---

[3] Em setembro de 2015, os 193 países membros das Nações Unidas adotaram uma nova política global: a Agenda 2030 para o Desenvolvimento Sustentável, que tem como objetivo elevar o desenvolvimento do mundo e melhorar a qualidade de vida de todas as pessoas. O lema é não deixar ninguém para trás.
Para tanto, foram estabelecidos 17 Objetivos de Desenvolvimento Sustentável (ODS) com 169 metas – a serem alcançadas por meio de uma ação conjunta que agrega diferentes níveis de governo, organizações, empresas e a sociedade como um todo nos âmbitos internacional e nacional e local.
Essa agenda está pautada em cinco áreas de importância (ou chamados 5 Ps): Pessoas, Prosperidade, Paz, Parceria e Planeta. Referência: AGENDA 2030 PARA O DESENVOLVIMENTO SUSTENTÁVEL. [*S. l.*], 1 jan. 2021. Disponível em: http://www.ods.cnm.org.br/agenda-2030. Acesso em: 31 out. 2021.

conseguinte, para que uma empresa cumpra com seu objetivo que é agir de maneira socio ambientalmente responsável, as empresas devem adotar ferramentas de gestão que permitam planejar, implementar, avaliar e fiscalizar os trâmites e tomadas de suas decisões, de forma a propiciar o mapeamento de medidas capazes de evitar eventuais prejuízos a sociedade. Um desses instrumentos consiste no *compliance*. Portanto, no entendimento do autor Barbieri (2012), tem-se que a responsabilidade socioambiental, além de implicar numa série de benefícios à sociedade, de uma forma ou de outra é benéfica para as próprias empresas, pois elas passam a dar mais atenção ao processo de adequação vez que evitam o descumprimento de normas legais que com elas geram multas e penalidades, além de propiciar uma imagem sustentável aos consumidores e investidores que estão a sua volta, potencializando a marca empresarial perante o mercado econômico.

Em virtude disso, chega-se à conclusão de que se as empresas agirem de forma responsável, a longo prazo será possível o alcance do desenvolvimento sustentável e social, em diversos aspectos, seja para evitar impactos negativos ao meio ambiente causados por catástrofes ambientais seja para preservar a dignidade da pessoa humana.

Baseado na pirâmide de *Archie Carroll* (1979), define-se a responsabilidade social empresarial em quatro patamares o qual se demostra por meio da pirâmide a seguir:

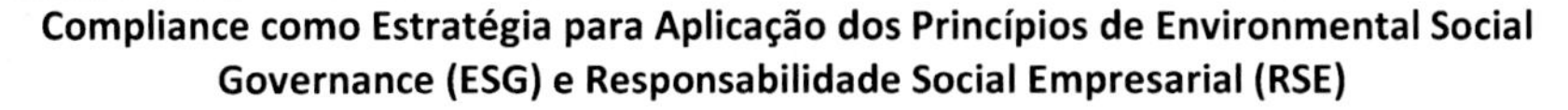

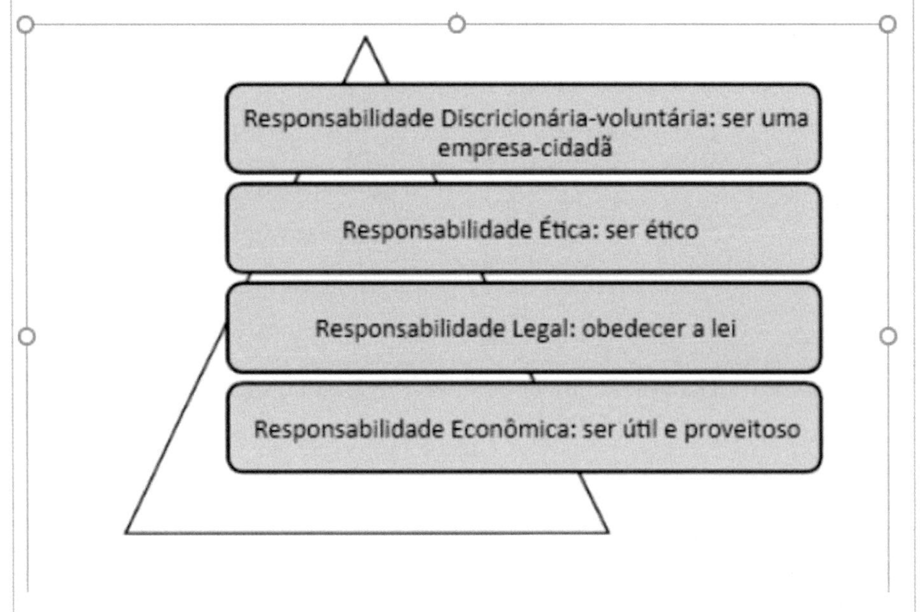

Fonte: *Carroll,* 1979[4].

A responsabilidade econômica constitui a principal responsabilidade social da empresa, vez que todas as empresas visam a obtenção de lucro e segundo *Carroll* o sucesso econômico é basilar para a sociedade, e por este motivo sua produção buscará sempre o fornecimento de produtos de qualidade capazes de satisfazer as necessidades de seus consumidores.

Temos ainda a responsabilidade legal, a partir do momento que a empresa assume seu papel produtivo na sociedade, consequentemente o próprio sistema jurídico lhes impõem regras básicas para o seu funcionamento, isto é, as empresas ficam submetidas a cumprir com as leis que estejam em vigência,

---

[4] CARROLL, Archie B. The pyramid of corporate social responsibility toward the moral management. **Organizational stakeholders. Business Horizont,** [*S. l.*], p. 1-20, 17 ago. 1991.

portanto, a sociedade espera que tal empresa esteja em conformidade com o ordenamento jurídico ao qual esteja submetida.

O terceiro patamar da pirâmide trata-se da responsabilidade ética, essa diferente da responsabilidade legal que impõe que o indivíduo deva agir de acordo com a lei, espera dos entes personificados a obrigação de fazer o que é certo e justo, ou seja, agir com ética está diretamente atrelada a postura e comportamento no meio social, desta forma é possível evitar e minimizar os danos causados evitando ou minimizando outros danos a sociedade.

Por fim, temos o quarto patamar da pirâmide de *Carroll* que não mais se trata de uma imposição social como as demais responsabilidades acima trazidas, esta por sua vez fica a cargo de escolhas e julgamentos individuais no qual se espera um posicionamento cidadão nas tomadas de decisões, ou seja, a empresa deve sempre pensar no bem-estar social, no entanto, tal requisito trata-se de um elemento subjetivo inerente a percepção de cada indivíduo de se preocupar com o bem-estar da humanidade.

Diante da análise da pirâmide de *Carroll* (1979), que nos permite ter uma visão geral de quais são os objetivos empresariais bem como suas responsabilidades sociais, significa que as empresas devem ao mesmo tempo que visam obter lucros, devem também obedecer ao ordenamento jurídico a qual estejam submetidas, além disso, devem atender com as expectativas da sociedade. Espera-se também que contribua para a sociedade, sendo uma empresa cidadã, somente dessa forma é possível se alcançar o desenvolvimento sustentável e a longo prazo garantir menores prejuízos as próprias empresas.

Um outro ponto a evidenciar é que com essas transformações a sigla ESG, derivado do inglês *Environmental, social and corporate governance*, traduzido como Governança ambiental, social e corporativa, começou a ganhar destaque nesse último ano.

De acordo com o autor Sitta e Lima (2020), essa sigla foi criada pelo mercado financeiro no qual vem sendo utilizada para direcionar e mensurar as boas práticas empresariais no que tange ao meio ambiente, sociedade, redução de emissões de gases de efeito estufa, gestão de resíduos, inclusão social, respeito à diversidade, adequação à legislação trabalhista e transparência.

Acrescenta-se ainda que um dos grandes percussores para o movimento ESG foi a criação da agenda 2030, está por vez de acordo com o site Agenda 2030 (2021), surgiu em Setembro de 2015, quando os 193 países membros das Nações Unidas adotaram uma nova política global, isto é, seu principal objetivo era elevar o desenvolvimento do mundo e melhorar a qualidade de vida de todas as pessoas.

Nesse sentido, foram estabelecidos 17 objetivos de Desenvolvimento Sustentável (ODS) com 169 metas, a serem alcançadas por meio de uma ação conjunta que agregue diferentes níveis de governo, organizações, empresas e a sociedade como um todo, seja em âmbito local, nacional ou até mesmo internacional.

Os acordos internacionais também exerceram forte influência para essa mudança de mentalidade, dentre vários acordos internacionais, um bastante relevante foi o Pacto Global da ONU que tem como objetivo mobilizar empresas que possuam o interesse em contribuir com o desenvolvimento sustentável.

De acordo com o site Pacto Global (2021), este acordo foi desenvolvido tendo como norte a Declaração Universal de Direitos Humanos, a Declaração da Organização Internacional do Trabalho sobre Princípios e Direito Fundamentais no Trabalho, a Declaração do Rio sobre Meio Ambiente e Desenvolvimento e da Convenção das Nações Unidas Contra Corrupção.

Por este motivo temos que, o estudo destes princípios é de extrema relevância para que possamos entender que o mesmo refere-se a estratégias e ações que possibilitam o alcance da agenda 2030, neste contexto as empresas, organizações da sociedade civil, associações empresarias, organizações trabalhistas, instituições acadêmicas, que se tornam signatárias de tal pacto global assumem a responsabilidade por seguir os 17 ODSs, trazendo benefícios para sociedade global e sucesso a longo prazo às próprias empresas.

Nessa abordagem, percebe-se que essa nova tendência trazida pelo ESG, na verdade vem sendo uma mobilização de tempos e que agora talvez as empresas reconheçam que o verdadeiro lucro é o bem-estar social.

Importante destacar que o ESG é dividido em três principais princípios quais sejam, Ambiental, Social e de Governança. De acordo com Kiyohara e Coelho (2021), o princípio ambiental tem como principal desígnio examinar o desempenho de uma empresa como administradora do ambiente natural em que atua. Incluem políticas e a capacidade de mitigar risco (ex.: uso de energia renovável, gestão de resíduos, controle da poluição e emissão de CO2, gestão de recursos hídricos), já o princípio social, tem como meta examinar como a empresa gerencia relacionamentos com seus diferentes públicos nas geografias onde atua (colaboradores, fornecedores, clientes e comunidades), além de comtemplar as visões e práticas sobre diversidade, direitos humanos e defesa do consumidor, por fim ainda sobre o entendimento dos autores Kiyohara e Coelho (2021), o princípio Governança abrange as esferas de liderança da empresa, remuneração executiva, processo de sucessão, ambiente de controle (riscos e *compliance*), funções de garantia e direitos de acionistas e demais stakeholders.

Fonte: Kiyohara e Coelho (2021)[5].

Em face disso, percebe-se que o ESG representa uma mudança de paradigma no relacionamento das empresas com os seus investidores, já que a medida do engajamento empresarial com a sustentabilidade se tornou critério de análise de risco para o investimento.

2. Compliance Empresarial e a Prevenção de Riscos

De acordo com o dicionário de português Dício (2021), o termo *compliance* tem origem no verbo inglês *to comply,* que se refere a agir em conformidade com uma regra, uma instrução interna, um comando ou uma norma seja ela corporativa ou legislativa. Portanto, *compliance* constitui o conjunto de ações internas que permite fazer um mapeamento de determinada instituição com o objetivo de prevenir e minimizar os riscos de violações às leis

[5] KIYOHARA, Jefferson; COELHO, Daniela. **PRINCÍPIOS DO ESG**. [*S. l.*], 6 jul. 2021. Disponível em: https://www.protiviti.com/BR-por/performance-empresarial/principios-esg. Acesso em: 31 out. 2021.

decorrentes de atividades ou ações praticadas pelas empresas e seus colaboradores e para monitorar a implementação e o andamento desse conjunto de ações.

De acordo com Mendes e Carvalho, (2017, p.16), um programa de *Compliance* visa estabelecer mecanismos e procedimentos que tornem o cumprimento da legislação parte da cultura corporativa. Ele não pretende, no entanto, eliminar completamente a chance de ocorrência de um ilícito, mas sim minimizar as possibilidades de que ele ocorra, e criar ferramentas para que a empresa rapidamente identifique sua ocorrência e lide da forma mais adequada possível com o problema.

Nesta toada, ainda de acordo com Mendes e Carvalho (2017), temos que o *Compliance* refere-se ao conjunto de procedimentos capazes de levar ao cumprimento da norma, nele deve-se ter estratégias não só para prevenção de riscos, mas também para gestão dos riscos, apresentando soluções em tempo hábil.

É sabido que um bom programa de *Compliance* deve seguir uma estrutura, no entanto, o primeiro passo a se fazer segundo Sinduscon-Pr (2016) é um diagnóstico prévio sobre a empresa a qual se deseja implementar tal programa, a fim de que seja possível traçar um plano de ação que atinja as necessidades de cada empresa de maneira individualizada.

Além disso, importante enfatizar que o Código de conduta de acordo com Click Compliance (2020) é o alicerce dentro de um sistema de *Compliance* pois relaciona-se as políticas coorporativas, isto é, ao método que a empresa irá utilizar para estimular todos os seus colaboradores a agirem em conformidade com as normas legais, desta forma sua adesão por todos os colaboradores da organização deve ser obrigatória. É neste documento que serão traçadas as diretrizes para aplicação dos princípios de ESG que por sua vez vão além de apenas cumprir com as normas legais.

De acordo com Toffel (2015), embora os códigos de conduta corporativos estejam entre as formas "mais brandas" de autorregulação voluntária e sejam normalmente expressos em linguagem abstrata e não vinculativa, em alguns casos eles têm sucesso na difusão de padrões globais.

Diante de tal concepção percebe-se que o *compliance* empresarial, apesar de não ser algo obrigatório e estar diretamente atrelado à vontade das partes, possibilita o além do cumprimento das normas legais, possibilita também mecanismo para efetividade de ações sócio responsáveis por parte da empresa.

Outro fator relevante, é que talvez essa variedade de normas traga uma certa insegurança no que tange a efetividade de aplicação dos princípios de ESG, de acordo com Pollman (2019), essas normas voluntárias, são consideradas como formas externas de "meta-regulação", que surgem de investidores institucionais, reguladores, ONGs, e outros grupos que desenvolvem esquemas que orientam, medem e monitoram a conduta corporativa. Ainda segundo a autora Pollman (2019), essa área de "soft law" e "regulação privada" tornou-se uma verdadeira sopa de letrinhas de siglas como padrões, classificações e regulamentos de terceiros se multiplicaram.

Diante deste contexto, à medida que os princípios de ESG e as ações sócio responsáveis vão se inserindo no mercado econômico, seja por intermédio dos líderes corporativos, seja por intermédio dos investidores, há, portanto, a necessidade de padronização dos que efetivamente refere-se a ações sob a ótica do ESG, permitindo desta forma o entendimento e aplicação por parte de todos os stakeholders.

Portanto, nota-se o quão importante é a responsabilidade social das empresas para o combate a degradação ambiental e demais outros aspectos sociais, e como tais ações podem inclusive ser benéfica para organização, desta forma fica demonstrado que é possível aliar desenvolvimento econômico com bem-estar social.

3. Conexão entre Compliance e ESG

Originariamente de acordo com o autor Barbieri (2009), uma empresa pode ser dirigida de diversas formas, dentre as quais estão as formas sócio ambientalmente responsáveis, uma vez que todas as tomadas de decisões empresariais acabam por gerar inúmeros reflexos internos e externos, podendo inclusive impactar de alguma forma na vida dos funcionários e da sociedade, e até mesmo ao meio ambiente que consequentemente impactam as gerações futuras.

Como bem se sabe, de acordo com o autor Nalini (2021), a sustentabilidade não é um conceito novo e o ESG talvez seja uma nova forma de trazer a mesma coisa em uma nova roupagem, no entanto, importante destacar que o ESG não se refere tão somente a questões ambientais, este aborda na sigla S (Social), princípios voltados a boas práticas em pró do bem-estar da humanidade, como é o exemplo do combate a crise sanitária da covid-19, diversidade cultural, diversidade religiosa, entre outras questões sociais.

Na concepção do autor Nalini (2021), o mundo bem como as organizações empresariais passam por uma mudança de mentalidade no qual se deva gerir uma empresa, face as catástrofes e desastres ambientais oriundos de má gestão ou falta de responsabilidade socioambiental.

Importante destacar que o efetivo lucro de uma organização empresarial vem com o bem-estar de todos, mas um questionamento trazido pelo autor Nalini (2021), e diversos outros capitalistas é: Será possível aliar desenvolvimento econômico, meio ambiente e sociedade justa?

Pois bem, a absorção dos princípios de ESG bem como a aplicação de um sistema efetivo de *compliance* apesar de não ser uma obrigação normativa tem sido utilizado como indicador para que os investidores optem por investir ou não em determinada empresa, desta forma as empresas que não adotam princípios de ESG estão perdendo mercado para as empresas consideradas como cidadãs.

Por fim, por ser o *compliance* empresarial um mecanismo de mapeamento e prevenção de riscos, este também pode ser utilizado como mecanismo para aplicação dos princípios do ESG, isto é, deve-se inserir os princípios do ESG dentro do código de conduta do *compliance,* além de haver a disseminação da cultura do ESG para todos os atores da empresa, por meio da comunicação interna ou externa.

Considerações Finais

Identificamos que o setor privado desempenha um papel de extrema relevância dentro da sociedade, isso porque as empresas movimentam a economia, além de que muitas ações empresariais acabam por impactar diretamente no ambiente social e ambiental, logo a conscientização dos líderes coorporativos quanto a aplicação dos princípios de RSE (Responsabilidade Social Empresarial) e ESG *(Environmental Social Governance)* pode ser uma eficaz estratégia para o conseguimento dos Objetivos de Desenvolvimento Sustentável em diversos aspectos beneficiando todos os atores dentro de um contexto social.

Por outro lado, apesar de alguns autores considerar o lucro como meta principal da empresa, nota-se, porém, que é possível aliar o desenvolvimento econômico com a preservação do meio ambiente e uma sociedade mais justa, uma vez que o efetivo lucro vem com o bem-estar de todos. Destaca-se ainda que os custo da reparação são superiores ao que seria gasto com a prevenção do risco.

Em virtude disso, nota-se que o *compliance* empresarial pode ser utilizado como mecanismo de prevenção e estruturação capaz de colocar em prática os princípios de ESG (*Environmental Social Governance*) e RSE (Responsabilidade Social Empresarial).

No entanto, foi identificado que outro fator relevante, é que talvez essa variedade de normas traga uma certa insegurança no que tange a efetividade de aplicação dos princípios de ESG, de acordo com Pollman (2019), essas normas voluntárias, são consideradas como formas externas de "meta-regulação", que surgem de investidores institucionais, reguladores, ONGs, e outros grupos que desenvolvem esquemas que orientam, medem e monitoram a conduta corporativa. Ainda segundo a autora Pollman essa área de "soft law" e "regulação privada" tornou-se uma verdadeira sopa de letrinhas de siglas como padrões, classificações e regulamentos de terceiros se multiplicaram.

Diante deste contexto, à medida que os princípios de ESG e as ações sócio responsáveis vão se inserindo no mercado econômico, seja por intermédio dos líderes corporativos, seja por intermédio dos investidores, há, portanto, a necessidade de padronização do que efetivamente refere-se a ações sob a ótica do ESG, permitindo desta forma o entendimento e aplicação por parte de todos os *stakeholders*.

Referências Bibliográficas

AGENDA 2030 PARA O DESENVOLVIMENTO SUSTENTÁVEL. [*S. l.*], 1 jan. 2021. Disponível em: http://www.ods.cnm.org.br/agenda-2030. Acesso em: 31 out. 2021.

BARBIERI, José Carlos; CAJAZEIRA, Jorge Emanuel Reis. Responsabilidade social empresarial e empresa sustentável: da teoria à prática. 1. ed. São Paulo: Saraiva, 2009.

BARBIERI, José Carlos; CAJAZEIRA, José Emanuel Reis. Responsabilidade social empresarial e empresa sustentável. [S. l.: s. n.], 2012.

CARROLL, Archie B. The piramid of corporate social responsibibility toward the moral management. **Orgazational stakeholders.Business Horizont,** , [*S. l.*], p. 1-20, 17 ago. 1991.

CLICK COMPLIANCE. Programa de compliance. [s. l.], 14 jan. 2020. Disponível em: https://clickcompliance.com/custos-de-um-programa-de-compliance/. Acesso em: 2 out. 2021.

DICIO: SIGNIFICADO DE COMPLIANCE. [*S. l.*], 5 jan. 2009. Disponível em: https://www.dicio.com.br/compliance/. Acesso em: 25 out. 2021.

KIYOHARA, Jefferson; COELHO, Daniela. **PRINCÍPIOS DO ESG**. [*S. l.*], 6 jul. 2021. Disponível em: https://www.protiviti.com/BR-por/performance-empresarial/principios-esg. Acesso em: 31 out. 2021.

MENDES, Francisco Schertel; CARVALHO, Vinicius Marques. Compliance. Concorrência e Combate a Corrupção, [s. l.], 13 jul. 2017.

NALINI, JOSÉ RENATO. ESG NO UNIVERSO JURÍDICO. **ULTRACONTINENTAL DE LITERATURA JURÍDICA,** [*S. l.*], p. 1-12, 12 ago. 2021.

POLLMAN, Elizabeth. Corporate Social Responsibility, ESG, and Compliance. **CAMBRIDGE HANDBOOK OF COMPLIANCE** , [*S. l.*], p. 1-20, 27 nov. 2019.

PROTIVITI, **PRINCÍPIOS ESG**. [*S. l.*], 29 set. 2021. Disponível em: https://www.protiviti.com/BR-por/performance-empresarial/principios-esg>. Acesso em: 30 out. 2021.

PACTO GLOBAL DA ONU: Rede Brasil. [*S. l.*], 31 out. 2021. Disponível em: https://www.pactoglobal.org.br/. Acesso em: 29 out. 2021.

SITTA, Thiago Souza; LIMA, Anara Cardoso. Critério ESG e a necessidade de adoção de práticas sustentáveis no ambiente empresarial. **Política estadão**, [*S. l.*], p. 1-5, 1 dez. 2020.

SINDUSCON PR SECONCI. Como estruturar um compliance empresarial. [s. l.]. 2018. Disponível em: < https://sindusconpr.com.br/etica-e-compliance-3669-p > Acesso em. 31 out. 2021.

TOFFEL, Michael W.; OUELLET, Melissa; L. SHORT, Jodi. Codes in Context: How States, Markets, and Civil Society Shape Adherence to Global Labor Standards.". **Regulation & Governance** , [*S. l.*], p. 205-223, 16 fev. 2015.

A "NOVA" CORRIDA ESPACIAL DA INICIATIVA PRIVADA E A NECESSIDADE DE REGULAMENTAÇÃO PELO DIREITO INTERNACIONAL

Alder Thiago Bastos [1*]

Introdução

O lançamento do Sputnik e a odisseia do espaço deflagrados em pela Guerra Fria foram responsáveis pela corrida espacial que reverberou no Tratado Internacional do Espaço de 1967 assentando a ideia de que o espaço é uma área de interesse comum de todos os Estados para o desenvolvimento econômico e científico, como anotado em seu artigo primeiro (MONTESERRAT FILHO, PATRÍCIO SALIN, 2003, p. 266).

É de salientar que o Tratado Internacional do Espaço não foi pensado para a aplicação perante a iniciativa privada, tendo em seus dezessete artigos refletido um documento internacional de aplicabilidade entre Estados e, evidentemente, a reflexão de missões tribuladas prol destes entes estatais.

---

[1] * **Alder Thiago Bastos**:
-Doutorando em Direito Ambiental Internacional pela Universidade Católica de Santos – UNISANTOS. Tese selecionada para o programa de Bolsa CAPES.
-Mestre em Direito pela Universidade Santa Cecília (UNISANTA) – Santos/SP (2018).
-Especialista em Direito Processual Civil e Direito Individual, Coletivo e Processual do Trabalho pela Escola Paulista de Direito.
-Graduado em Direito.
-Membro do Grupo de Pesquisa de Direito e Política Espacial da Universidade Católica de Santos.
-Advogado e Professor Universitário em cursos de graduação e pós-graduação.

Ainda que o anseio da pesquisa científica e da exploração de meteoritos, quando da elaboração do tratado, fosse uma realidade, certo de que o Tratado do Espaço buscava consolidar uma harmonia entre a tensão existente que se deflagrava pela Guerra Fria, entre Estados Unidos da América e União Soviética, cuja conquista do espaço tinha objetivos bélicos e para desenvolvimento de armas de destruição em massa de longo alcance.

Com o fim da Guerra Fria, abriu-se novos horizontes para que a iniciativa privada começasse a explorar o espaço sideral, sendo ela detentora de capital e investimentos necessários para aprimoramento da tecnologia existente em prol dos objetivos que se coadunam com a busca de minérios espaciais e de outros recursos, inclusive imateriais, em prol do ganho propiciado pela "conquista espacial privada".

Neste contexto, o desenvolvimento tecnológico no Século XXI tem sido fulcral para que a iniciativa privada domine esta nova etapa da corrida espacial, permitindo que o ser humano comum atinja a orbita espacial, seja para que usufrua do turismo, cuja ideia é cada vez mais presente na contemporaneidade, seja pela exploração para obtenção de recursos naturais que viabilizes comodities em prol da humanidade, iniciando-se a odisseia privada pela conquista do espaço sideral.

A iniciativa privada, com altíssimos investimentos financeiros, tem sido importante no desenvolvimento tecnológico de ponta, permitindo, desta maneira, que missões tripuladas sejam realidades vertentes no Século XXI, avançando, exponencialmente, a mencionada tecnologia espacial para levar o homem comum a estratosfera, bem como, em contrapartida, evidentemente, possibilitando obter lucros por essas modalidades de exploração espacial.

A problemática exsurge, justamente, quando não depreende do regime jurídico internacional qualquer regulamentação pelo Direito Internacional sobre os limites da exploração do espaço pela iniciativa privada, o que pode influenciar em uma desarmonia e refletir em conflitos internacionais subjacentes desta exploração perseguida e concretizada pela iniciativa privada.

Ademais, é certo que o espaço sideral não tem reflexos de soberania ou de fronteiras, ficando extremamente vago situações como tributação, patentes sobre bens ou objetos não conhecidos, recursos obtidos através da exploração espacial, entre outras situações que possam ser vislumbradas em diversas áreas de atuação humana.

Outro ponto que se torna necessário o enfrentamento é a sustentabilidade no meio ambiente espacial, pois a exploração espacial pode repercutir em consequências ambientais, dentro e fora da orbita terrestre, reverberando em consequências ambientais provocada pela exploração espacial, fator que também deve ser antevisto pelo tratado internacional que vier a consolidar a iniciativa privada como percursora desta nova fase de exploração espacial.

Neste contexto, a regulamentação de um tratado internacional que considere essas novas equações se mostra adequado, sendo certo que a hipótese de que o Tratado do Espaço deve ser atualizado para refletir a conquista espacial que toma corpo através da iniciativa privada se mostra pertinente e necessário.

Através dos métodos exploratório e dedutivo, amparado em referenciais bibliográficos publicados em meios físicos e digitais, busca-se consolidar a hipótese alinhavada no presente estudo, em prol da atualização do Tratado do Espaço para reverberar as nuances existentes no Século XXI.

1. O Tratado do Espaço

A busca pelo espaço sempre foi um anseio da humanidade, relatado por filmes de ficção científica ou por pesquisas que tentam aprimorar e tornar vívido este objetivo, ficou evidenciado desde as primeiras missões não tribuladas, até o efetivo envio do homem ao espaço para pesquisas exploratórias e análises científicas diversas, que a conquista do espaço sideral sempre foi um objetivo da humanidade.

Essa realidade, antes inalcançada pela população não especializada, no Século XXI, se torna vívida e cada vez mais presente, muito porque sofre a impulsão da tecnologia existente na contemporaneidade que permite, de forma objetiva, que o ser humano comum atinja o espaço sideral e possibilita novas formas de trabalho e horizontes que se despontam desta realidade.

É de se lembrar que, em primeiro momento, o ser humano foi enviado para o espaço sideral a fim de constatar as condições ambientais para sobrevida fora do Globo Terrestre, bem como investigar se havia outras formas de vida fora do Planeta Terra. Em segundo momento, evidentemente, para que houvesse a exploração do espaço, através de materiais e recursos que pudessem ser convertidos em bens manufaturados ou mesmo suprir a escassez de recursos existentes.

A corrida espacial deflagrada no Século XX, tinha o ideário de melhoramento dos armamentos bélicos de longo alcance, com tímidos enfoques na exploração do espaço com o fim de obtenção de recursos, seja pela falta de tecnologia, seja pela falta de investimento necessário (REI, MALHADAS, 2020, p. 164), muito provocado pelo clima de guerra e pelas tensões bélicas existentes pelo desenvolvimento armamentista e as inerentes ameaças de novos conflitos em escala mundial provocada pela Guerra Fria vivenciada à época da promulgação do Tratado do Espaço (BITTENCOURT NETO, 2011, p. 46).

Independentemente dos enfoques que levaram o homem ao espaço, certo é que o desenvolvimento tecnológico em prol do espaço sideral, naquele momento beligerante, foi decisivo para que se promulgasse um documento internacional neutro e que buscasse uma divisão igualitária do espaço sideral, sem os enraizamentos de soberania próprias de territorialidade.

Em síntese, a ideia do Tratado do Espaço era de que a exploração espacial fosse isenta de regras fronteiriças ou de proclamação de soberania por qualquer nação, ficando vívido em sua redação, especialmente quando se anota o Artigo I, com especial enfoque do encorajamento à cooperação internacional.

Catherine de Souza Santos; Marina Stephanie Ramos Huidobro e Suyan Cristina Malhadas, anotam que a corrida espacial não detinha a tecnologia necessária para a exploração espacial tal como se vivencia no Século XXI, já que é cediço que grande parte do desenvolvimento tecnológico da humanidade se deu a partir do fim do Século XX, frisando, ainda, as referidas pesquisadoras que:

> *Embora a exploração de recursos minerais em asteroides já fosse um desejo à época da corrida espacial, apenas recentemente a tecnologia necessária vem sendo desenvolvida (MACWHORTER, 2016, p. 652). Assim, grande parte das questões jurídicas relacionadas a esse tema foi abordada apenas superficialmente pelos tratados. Outras sequer foram imaginadas à época, como o domínio da iniciativa privada nesse campo e a corrida dos atores por posições privilegiadas de acesso às atividades exploratórias (2020, p. 56).*

O Tratado do Espaço, datado de 10 de outubro de 1967, contém apenas dezessete artigos, cuja regulamentação não foi pensada para o desenvolvimento da atividade privada, pois o espaço "poderá ser explorado e utilizado livremente por todos os Estados sem qualquer discriminação em condições de igualdade e em conformidade com o direito internacional, devendo haver liberdade de acesso a todas as regiões dos corpos celestes", redação esta extraída do artigo I do referido documento.

Contudo, como explica Rodrigo Vesule Fernandes, o espaço é uma mercancia extremamente rentável, com lançamentos diários de satélites quem mantém a tecnologia mundial existente ativa e vívida, além de outras prospecções que visam, efetivamente, obter recursos espaciais aproveitáveis pela humanidade, evidentemente, transformando a matéria-prima obtida no espaço em comodities possíveis de transformações em prol da evolução tecnológica humana (2020, p. 33).

No entanto, percebe-se que o Tratado do Espaço não refletiu a ideia da iniciativa privada como percursor na exploração espacial, motivo pelo qual ele se tornou a base de outros quatro tratados que foram paulatinamente desenvolvidos em prol da exploração espacial em prol dos interesses estatais, como esclarecem Fernando Cardozo Fernandes Rei e Suyan Cristina Malhadas:

> *O Tratado do Espaço é a base de outros quatro tratados, o Acordo de Resgate de Astronautas e Objetos Espaciais, de 1968, a Convenção sobre Responsabilidade, de 1972, a Convenção sobre Registro de Objetos Espaciais, de 1975 e o Acordo que Regula as Atividades dos Estados na Lua e em Outros Corpos Celestes (Tratado da Lua), de 1979, que aprofundam conceitos do Tratado do Espaço, definem condutas em áreas mais específicas e compõem, com ele, a estrutura de hard law do direito espacial, que deve ser interpretada em consonância com o direito internacional (2020, p. 169-170).*

Contudo, ainda assim, os tratados subsequentes ao Tratado do Espaço de 1967 não foram objetivados a solucionar a odisseia espacial privada que viria a ser uma realidade anos mais tarde, lembrando-se que o ponto fulcral dos tratados é o impedimento de que haja declaração de proclamação de soberania por uso ou ocupação (artigo II), incorporando-se a ideia de que o espaço é um local transfronteiriço e, portanto, não é admitido quaisquer ditames de soberania.

Percebe-se, pois, que o Tratado do Espaço e seus sucessores, promulgados em 1968, 1972, 1975 e 1979, em uma disposição de *hard law* não permite a incorporação de outros atores que não os Estados, como por exemplo ONG´s, associações ou a própria iniciativa privada, diga-se, atualmente extremamente ativa no desenvolvimento da corrida espacial contemporânea, justificando o surgimento, paulatino, de uma força motriz para a exploração espacial contemporânea.

Evidentemente, para contornar a ausência de regulamentação específica em prol da iniciativa privada, surgem diversos documentos internacionais de aplicação *soft law* que buscam compreender a inclusão destes novos atores que não apenas o Estados como personagens profícuos no desenvolvimento espacial contemporânea, bem como assegurar os ganhos aos investimentos que são alinhavados para essa nova fase.

Também surgem, aos poucos, leis domésticas que "autorizando a exploração, posse e comercialização de recursos espaciais por seus nacionais, mediante aprovação governamental e em conformidade com as obrigações internacionais assumidas pelos países" (REI, MALHADAS, 2020, p. 171), mas referidas leis esbaram na própria disposição do artigo II do Tratado do Espaço, podem ser colocadas em xeque, haja vista a prevalência da inexistência de soberania no espaço sideral.

Por isso, torna-se necessário que haja uma elaboração de um documento de *Hard Law*, em consonância com os documentos já existentes, que busque entender a necessidade do tratamento do espaço sideral na contemporaneidade, agregando os novos atores que, de fato, tem explorado investido na exploração do espaço e buscam, através de financiamentos e desenvolvimento tecnológico, em grande parte trazido pela iniciativa privada, levado o homem comum ao espaço, tornando-se a exploração do espaço sideral uma realidade para a iniciativa privada (REI, MALHADAS, 2020, p. 177).

2. A Sustentabilidade do Espaço

A exploração espacial e o crescente número de satélites e de objetos que são lançados diariamente ao espaço sideral traz uma nova preocupação, a poluição ambiental fora da órbita terrestre que pode, consequentemente, reverberar em prejuízos à humanidade, justificando-se, sob esse prisma, uma regulamentação, através de um instrumento jurídico, que preveja deveres e responsabilidades, inclusive da iniciativa privada, quando da atuação na estratosfera terrestre.

É cediço que o Tratado de Estocolmo, de 1972, nasce do movimento ambientalista que começara a florescer entre os anos de 1960 e 1970, em contraposição a degradação desenfreada do meio ambiente em prol da produção de itens de consumo em todo o planeta, sem a preocupação com o amanhã (SARLET, FENSTERSEIFER, 2021, p. 54), passando de uma cultura extrativista para uma cultura de consciência que reflete, inclusive, na premissa de sustentabilidade que vigora na contemporaneidade.

Neste instrumento, o meio ambiente se torna o centro das atenções da humanidade, sendo cada vez mais onipresente a absoluta ciência de que a ambiência sadia permite a vida de todas as espécies no planeta, em proteção das presentes e futuras gerações, conforme anotado no Acordo de Paris de 1992, buscando colocar um contrapeso a depredação ambiental vivenciada, em larga escala, até o início do Século XX, justificando, inclusive, movimentos ambientalistas em prol da proteção ambiental crescente desde 1960.

Maria Luiza Machado Granzieira relembra que:

> *Os temas abordados podem ser resumidos em: o meio ambiente como direito humano, desenvolvimento sustentável, proteção da biodiversidade, luta contra a poluição, combate à pobreza, planejamento, desenvolvimento tecnológico, limitação à soberania territorial dos Estados, cooperação e adequação das soluções à especificidade dos problemas. A seguir, passamos a discorrer sobre os princípios que compõem a Declaração de Estocolmo. (2019, p. 27, e-book).*

A sustentabilidade começa a se tornar a força motriz destes movimentos ambientalistas, pois, dentro dela conjuga-se a coexistência do ser humano ao meio ambiente que está inserido, bem como a codependência entre as necessidades humanas e a natureza que é fornecedora principal de diversas matérias-primas para os inúmeros produtos conhecidos na atualidade e que são fabricados diariamente.

Em outras palavras, é possível afirmar de forma concisa que se extrai da natureza a matéria-prima necessária para a manutenção de grande parte dos produtos consumidos pela humanidade na atualidade, mantendo-se uma cultura do extrativismo, ainda que mais controlado ou com mecanismos de reaproveitamento, bem como é para a própria natureza que retorna os dejetos não aproveitados desta produção massificada nessa cadeia consumerista.

Neste contexto, as mudanças ambientais são sentidas a longo prazo, impactando as futuras gerações (WEISS, 1992, p. 707), justificando uma preocupação com o amanhã, tornando-se nítido o caráter transgeracional do direito ambiental.

Desta forma, tal preocupação também deve ser adotada quando se alinha novos passos de conquistas espaciais e prol do meio ambientais espaciais, pois, é evidente que esta exploração e eventuais consequências desta empreitada humana a odisseia espacial podem trazer sérias consequências que não serão sentidas de imediato, mas poderão impactar o planeta futuramente.

Fernando Cardozo Fernandes Rei e Suyan Cristina Malhado, relembram que:

> *(...) a exploração dos recursos espaciais é tema de interesse global, crescentemente incorporado à agenda internacional em busca da definição de instituições abrangentes, consensuais e cooperativas, que incorporem princípios, expandam interpretações, estabeleçam conceitos, direitos, obrigações, atribuam competências para registro e monitoramento e criem mecanismos de solução de controvérsias (2020, p. 175).*

Muitas das controvérsias podem ser uma repetição dos problemas enfrentados pelos movimentos ambientalistas na década de 70, pois sempre estar-se-á de frente aos interesses da humanidade, bem como, evidentemente, os danos ocasionados pela exploração desenfreada e pelos dejetos deixados por esta exploração, independentemente se atrás de recursos naturais ou por turismo espacial que se torna realidade neste Século, como dito anteriormente.

A preocupação cada vez mais recorrente com a exploração pela iniciativa privada da órbita terrestre exsurge quando o próprio sistema de satélite artificial orbitais é cada vez mais crescente em prol da manutenção da comunicação mundial ou da própria proteção bélica estatal, tornando a humanidade dependente destes satélites para manutenção da tecnologia que está integrada à humanidade.

Exemplos desta problemática da exploração espacial são os próprios satélites inoperantes ou inutilizados, bem como os diversos espaciais que são lançados na órbita terrestre, mas não são destruídos ou dizimados no espaço sideral, estimando-se que cerca de 100 milhões de detritos se encontram em órbita terrestre sem direcionamento ou funcionabilidade (TAMMARO, 2022, p. 1)[2], refletindo em um número crescente de objetos que atingem o planeta na atualidade.

Surge, daí, a preocupação de um sistema jurídico que acolha a sustentabilidade cobrada no planeta Terra, também em órbita espacial, já que tais detritos podem ocasionar um colapso à humanidade se, porventura, chocarem com os equipamentos em funcionamento, além de que, tais detritos podem colidir com a Terra, ocasionando prejuízos ou desastres a depender da rota de colisão.

Jean Paulo dos Santos Carvalho, Jackson dos Santos Lima e Carine Moreira Gonçalves anotam que: “A sustentabilidade do ambiente espacial é essencial para assegurar a exploração da órbita terrestre com eficiência e responsabilidade” (2021, p. 65). Reforça-se a ideia de uma ambiência espacial adequada em prol da própria humanidade que depende, em grande parte, dos próprios satélites artificiais orbitais para manutenção da tecnologia existente na Terra, se torna medida necessária que deve ser incorporada por tratados internacionais que prevejam a corrida espacial perseguida pela iniciativa privada.

---

[2] Apesar de não ser o enfoque da pesquisa ora transcrita, é certo que um satélite atingido por destroços espaciais ou por objetos lançados contra ele, propositalmente, pode ocasionar, na contemporaneidade, um sério risco às comunicações, além de impactar diversos setores, públicos e privados.

Deste modo, ainda que haja mecanismos de integração dos diversos tratados internacionais para que se comuniquem, evidencia-se que a ausência de regulamentação quanto aos limites, responsabilidades e cuidados com a poluição no espaço sideral reflete em uma nova fase dos problemas ambientais, tal como identificados pelo movimento ambientalista e pelo Tratado de Estocolmo, de 1972.

Ana Carla Vastag Ribeiro de Oliveira explica que:

> *Os Tratados Internacionais são acordos diplomáticos com propósitos de criarem obrigações e vínculos, constituídos em documentos que possibilitem às partes o exercício do direito neles tratados, mas sempre vinculados a complexos mecanismo de validação e internação nos ordenamentos jurídicos internos dos Estados e Soberanias, que ainda, por seus intelectuais geram e gerarão dicotomias com propósito de desvestir os Direitos Fundamentais de eficácias e impedimento de aplicação imediata, preterindo a proteção dos Direitos Humanos (2018, p. 65).*

Nesta toada, verifica-se que, de igual forma, o Tratado do Espaço deve ser atualizado, também sob o ponto de vista de sustentabilidade, para provocar uma nova reflexão quanto aos objetivos da humanidade e, principalmente, quanto a nova fase da odisseia espacial perseguida, atualmente, pela iniciativa privada, com lançamentos de diversos satélites artificiais orbitais, busca de exploração por minérios e demais comodities, bem como a própria viés de turismo espacial que ganha entonação no Século XXI.

Considerações finais

Com esta nova etapa da corrida espacial desencadeada pela iniciativa privada, verifica-se que os tratados internacionais em vigor, promulgados em prol de exploração espacial pela iniciativa estatal não se sustentam e não dialogam com o alcance do homem comum ao espaço sideral, sendo identificado diversos lançamentos de satélites artificiais orbitais que fazem parte de um complexo arranjo tecnológico que move diversos nichos da humanidade na atualidade.

Neste contexto, exsurge problemas como poluição ambiental espacial e reflexos de soberania que não foram pensados pelo Tratado do Espaço de 1967, que devem ser solucionados por arranjos internacionais que prevejam, de forma contundente, o alcance do homem comum ao espaço e a nova odisseia espacial capitaneada pela iniciativa privada.

Desta forma, a hipótese de que o Tratado do Espaço, de 1967, deve ser atualizado para refletir a conquista espacial que toma corpo através da iniciativa privada se consolida, a fim de que haja uma regulamentação internacional que considere essas novas equações, não pensadas no Século XX, onde o alcance do homem comum ao espaço não passava de ficção científica.

Referências

BITTENCOURT NETO, Olavo de Oliveira. **Limite vertical à soberania dos Estados: fronteira entre espaço aéreo e ultraterrestre**. 2011. Tese de Doutorado (Doutorado em Direito Internacional) - Faculdade de Direito, Universidade de São Paulo, São Paulo, 2011. doi:10.11606/T.2.2011.tde-15052012-095902. Disponibilizado em: https://teses.usp.br/teses/disponiveis/2/2135/tde-15052012-095902/pt-br.php. Acesso em: 30 set. 2021.

BRASIL. Ministério Público do Estado do Amapá. Declaração sobre as Responsabilidades das Gerações Presentes em Relação às Gerações Futuras. Acordo de Paris. Disponível em: https://www.mpap.mp.br/menu-legislcao?view=article&id=6827:declaracao-sobre-as-responsabilidades-das-geracoes-presentes-em-relacao-as-geracoes-futuras&catid=16#:~:text=As%20gera%C3%A7%C3%B5es%20presentes%20devem%20garantir,e%20para%20o%20seu%20desenvolvimento. Acesso em: 24 jun. 2022.

CARVALHO, Jean Paulo dos Santos; LIMA, Jackson dos Santos; GONÇALVES, Carine Moreira. Poluição do ambiente espacial: O problema do lixo no espaço. **Scientia: Revista Científica Multidisciplinar**, v. 6, n. 2, p. 61-80, 2021. Disponível em: https://www.revistas.uneb.br/index.php/scientia/article/view/10218. Acesso em: 23 jun. 2022.

DECLARAÇÃO DA CONFERÊNCIA DE ONU NO AMBIENTE HUMANO. Estocolmo, entre os das 5-16 de junho de 1972. Traduzido por CETESP – Companhia Ambiental do Estado de São Paulo. Sem data de tradução. Disponibilizado em: https://cetesb.sp.gov.br/posgraduacao/wp-content/uploads/sites/33/2016/09/Declara%C3%A7%C3%A3o-de-Estocolmo-5-16-de-junho-de-1972-Declara%C3%A7%C3%A3o-da-Confer%C3%AAncia-da-ONU-no-Ambiente-Humano.pdf. Acesso em: 28 fev. 2022.

DECLARAÇÃO UNIVERSAL DOS DIREITOS HUMANOS. Promulgada em 10 dez. 1948. Disponível em: http://www.ohchr.org/EN/UDHR/Documents/UDHR_Translations/por.pdf. Acesso em: 15 mai. 2017.

FERNANDES, Rodrigo Vesule. **Análise de legalidade da extração de recursos naturais e do uso exclusivo de áreas em território lunar, à luz do tratado do espaço**. Trabalho de Conclusão de curso apresentado como requisito para aprovação no curso de pós-graduação em Direito Internacional, da Estácio de Sá, sob orientação do Professor Roberto Jurado Cosmo. Publicado em 2020. Disponível em: https://www.researchgate.net/profile/Rodrigo-Vesule-Fernandes-2/publication/348199468_ANALISE_DE_LEGALIDADE_DA_EXTRACAO_DE_RECURSOS_NATURAIS_E_DO_USO_EXCLUSIVO_DE_AREAS_EM_TERRITORIO_LUNAR_A_LUZ_DO_TRATADO_DO_ESPACO/links/5ff376d5a6fdccdcb82e7972/ANALISE-DE-LEGALIDADE-DA-EXTRACAO-DE-RECURSOS-NATURAIS-E-DO-USO-EXCLUSIVO-DE-AREAS-EM-TERRITORIO-LUNAR-A-LUZ-DO-TRATADO-DO-ESPACO.pdf . Acesso em: 09 maio 2022.

FREIRE E ALMEIDA. Daniel. **Direito Digital em Temas Complexos e Internacionais**. Organizado e Editado por FREIRE E ALMEIDA. Daniel. New York: Lawinter Editions, 2021, p. 7-11.

GARCEZ. Gabriela Soldano. **O papel da mídia na formação da opinião pública: O status de ator emergente para o Direito Internacional com influência na proteção ambiental**. Tese apresentada à banca examinadora da Universidade Católica de Santos – Unisantos, como requisito parcial para a obtenção do título de Doutor. Orientação: Prof. Dr. Gilberto Passos de Freitas. Ano de 2017. Disponível em: https://tede.unisantos.br/handle/tede/3441. Acesso em: 27 abr. 2022.

GRANZIERA, Maria Luiza Machado. **Direito Ambiental**. - 5. ed. - Indaiatuba, SP: Editora Foco, 2019. Edição do Kindle (E-book).

MONSERRAT FILHO, José e Patrício Salin, A.O Direito Espacial e as hegemonias mundiais. **Estudos Avançados** [online]. 2003, v. 17, n. 47, pp. 261-271. Disponível em: <https://doi.org/10.1590/S0103-40142003000100016>. Epub 08 Ago 2008. ISSN 1806-9592. https://doi.org/10.1590/S0103-40142003000100016. Acesso em: 27 abr. 2022

OLIVEIRA, Ana Carla Vastag Ribeiro de. **Direitos políticos e sua efetividade como Direitos Humanos: Necessária profilaxia pelas Organizações Internacionais.** Tese apresentada à banca de examinadora da Pontifícia Universidade Católica de São Paulo – PUC/SP, como exigência parcial para obtenção do título de Doutor em Direito das Relações Sociais, na área de concentração do Direito das Relações Econômicas Internacionais, sob orientação do Professor Doutor Antônio Márcio da Cunha Guimarães. 2018. Disponibilizado em: https://tede2.pucsp.br/handle/handle/22042. Acesso em: 09 maio 2022.

REI, Fernando Cardozo Fernandes; MALHADAS, Suyan Cristina. A exploração econômica dos recursos minerais espaciais: um regime internacional em formação? **Direito.UnB - Revista de Direito da Universidade de Brasília**, *[S. l.]*, v. 4, n. 3, p. 162–181, 2020. Disponível em: https://periodicos.unb.br/index.php/revistadedireitounb/article/view/34657. Acesso em: 24 jun. 2022.

SANTOS, Catherine de Souza; HUIDOBRO Marina Stephanie Ramos; MALHADAS, Suyan Cristina. A Regulação da Exploração Econômica do Espaço e o Grupo Internacional de Trabalho de Haia para a Governança de Recursos Espaciais. In: **As Organizações Internacionais e os Tribunais no Contexto do Direito Internacional** (p. 45-78). Publicado em 2020. Editora Lawinter Editions: New York – Zurich.

SARLET, Ingo Wolfgang. FENSTERSEIFER, Tiago. **Curso de Direito Ambiental**. 12. ed. rev. atual e ampl. Rio de Janeiro: Forense, 2021. Edição do Kindle.

TAMMARO, Rodrigo. Lixo espacial é problema crescente com soluções difíceis. Jornal USP. Publicado em: 11 maio 2022. Disponível em: https://jornal.usp.br/atualidades/lixo-espacial-e-problema-crescente-com-solucoes-dificeis/. Acesso em 24 jun. 2022

WEISS, Edith Brown. International Environmental Law: Contemporary Issues and the Enmergence of a New World Order. **Geo. LJ**, v. 81, p. 675, 1992. Disponibilizado em: https://heinonline.org/HOL/LandingPage?handle=hein.journals/glj81&div=35&id=&page=. Acesso em: 24 jun. 2022.

A "Nova" Corrida Espacial da Iniciativa Privada e a Necessidade de Regulamentação pelo Direito Internacional

RESPONSABILIDADE INTERNACIONAL E RESPONSABILIDADE CIVIL DOMÉSTICA NO DIREITO AMBIENTAL

André Medeiros Toledo [1*]

Andressa Soares Borges Toledo [2**]

Introdução

Quando falamos em responsabilidade, vem à baila a noção de um dever jurídico sucessivo, no qual, em virtude da violação de um dever precedente, há o surgimento consecutivo da obrigação de reparação do dano originado pela ação originária. Embora o instituto exista no direito há longa data, a responsabilidade passou por muitas reformulações ao longo da história.

A evolução deste conceito possui particularidades nos diferentes ordenamentos jurídicos do globo, que diferem entre si e também em relação ao

[1] * **André Medeiros Toledo**:
-19º Tabelião de Notas de São Paulo – SP.
-Doutorando em Direito pela Faculdade Autônoma de Direito (Fadisp).
-Mestre em Direito pela Universidade de Marília (Unimar).
-Coordenador da Comissão de Direito Notarial e Registral do Instituto Brasileiro de Direito Imobiliário – IBRADIM.
-E-mail: tabeliao@cartoriotoledo.com.br

[2] ** **Andressa Soares Borges Toledo**:
-Escrevente notarial no 19º Tabelionato de Notas de São Paulo – SP.
-Mestranda em Direito Ambiental pela Universidade Católica de Santos (Unisantos).
-E-mail: andressa.toledo@cartoriotoledo.com.br.

instituto da responsabilidade no plano internacional. Igualmente, a responsabilidade, enquanto regime geral, pode ser objeto de regimes jurídicos especiais, com regras de aferição próprias.

Este é o caso da responsabilidade em matéria ambiental, na qual, em razão da natureza do bem jurídico tutelado, formas específicas de proteção se tornam elementares à sua efetiva proteção.

Em razão disso, o presente artigo pretende investigar como é configurada responsabilidade em matéria ambiental sob duas perspectivas: em primeiro lugar, no direito internacional público, enquanto regime geral, e no direito ambiental internacional, enquanto regime especial. Desta forma, serão verificadas as obrigações do Estado Brasileiro frente à comunidade internacional em questões ambientais. Em um segundo momento, trata-se como a questão é percebida em nosso ordenamento jurídico doméstico, à luz da teoria do risco integral. Assim, será possível compreender quais regras são aplicáveis aos agentes internos do Estado, bem como à sociedade e demais particulares jurisdicionados.

A pesquisa aqui restituída e apresentada, de natureza jurídico-teórica, utilizou-se do método documental e bibliográfico, acentuando os aspectos conceituais, doutrinários e ideológicos da problemática tratada.

1. A responsabilidade internacional e o direito ambiental

O direito internacional público é, classicamente, o ramo do direito destinado a reger as relações jurídicas dos Estados soberanos entre si. Neste sentido, é de se notar a complexidade que a disciplina vem adquirindo, nos últimos tempos, em relação a sujeitos e objetos por ela abrangidos. Quanto aos sujeitos, atualmente, o ambiente internacional é caracterizado por uma multiplicidade de atores: alguns possuem estatuto jurídico internacional bem definido e aceito, como o caso dos Estados e Organizações Internacionais, enquanto outros ainda são de personalidade jurídica controversa, mas de impacto inegável na formulação e aplicação de normas e políticas internacionais.

Quanto aos objetos, tanto o movimento pela codificação do direito internacional quanto processos de globalização e de integração deram vazão a uma multiplicidade de regimes jurídicos e matérias reguladas pelo direito internacional. Dentre elas, destacam-se, por sua crescente abrangência e especificação, subáreas como a Proteção Internacional aos Direitos Humanos, Direito Penal Internacional, Direito Humanitário, Direito Ambiental Internacional, Direito do Mar, Direito do Comércio Internacional, entre muitas outras.

Ao passo que as relações entre entidades internacionais vão se complexificando, uma gama de direitos e obrigações surge, constituindo relações jurídicas bilaterais, multilaterais, ou mesmo com efeito *erga omnes*. Em vistas disso, eventuais condutas ou omissões dos sujeitos de direito abrangidos por essas relações podem dar origem à sua responsabilidade internacional e consequente dever de reparação.

Neste sentido, a responsabilidade internacional é descrita por certos autores como o corolário da ordem jurídica internacional, na medida em que é o elemento que confere à norma preditiva consequências jurídicas previsíveis no plano abstrato. Assim, é ela quem dá a qualidade de "jurídica" à norma internacional, distinguindo-a de um postulado moral ou social, por exemplo.[3]

A responsabilidade internacional é comumente compreendida como decorrente da violação de um compromisso assumido, dando origem à obrigação de reparação pelo agente a quem se impute o ato ilícito. A origem deste conceito

[3] Conforme exposto em PELLET, 2010.

pode ser evidenciada pelo emblemático caso da Fábrica de Chorzów, envolvendo os Estados da Alemanha e Polônia, julgado em 1928 pela então em funcionamento Corte Permanente Internacional de Justiça, predecessora da Corte Internacional de Justiça. No caso em questão, a Corte, apesar de não utilizar a terminologia de responsabilidade internacional, enfrentou a questão sobre a existência de uma obrigação de reparação entre os estados em questão, em decorrência da expropriação de uma empresa alemã pelo governo polonês, ocorrida após a Polônia incorporar o território em que a empresa estava situada, anteriormente pertencente ao Império Alemão, incorporação esta fundada no Tratado de Versalhes, após o fim da Primeira Guerra Mundial.

Ao analisar a questão, a Corte definiu que "é um princípio do direito internacional, e mesmo uma concepção geral do direito, que qualquer violação de um compromisso envolve a obrigação de reparar" (PCIJ, 1928, par. 72, tradução nossa).[4] Este é o primeiro caso em que a Corte reconhece o princípio da reparação de danos e seu caráter fundamental à configuração da ordem jurídica internacional, que veio a ser o elemento fundamental da responsabilidade internacional.

Em termos de definição do que é a responsabilidade internacional, o documento mais importante a ser considerado é o Projeto de Artigos sobre Responsabilidade Internacional dos Estados por Ato Internacionalmente Ilícito, elaborado pela Comissão de Direito Internacional das Nações Unidas, em 2001. Neste documento, é estabelecido que "todo ato internacionalmente ilícito de um

---

[4] Original: "it is a principle of international law, and even a general conception of law, that any breach of an engagement involves an obligation to make reparation".

Estado acarreta a responsabilidade internacional desse Estado" (ILC, 2001, art. 1º, tradução nossa)[5], sendo este o corolário da responsabilidade internacional.

Em sentido convergente, Malcolm Shaw define a responsabilidade internacional da maneira seguinte:

> *A responsabilidade do Estado é um princípio fundamental do direito internacional, decorrente da natureza do sistema jurídico internacional e das doutrinas da soberania do Estado e da igualdade dos Estados. Ela prevê que sempre que um Estado cometer um ato internacionalmente ilegal contra outro Estado, a responsabilidade internacional é estabelecida entre os dois. A violação de uma obrigação internacional dá origem à necessidade de reparação (SHAW, 2008, p. 778, tradução nossa).*[6]

Apesar de originalmente associada à conduta de Estados, importante destacar que a Comissão de Direito Internacional das Nações Unidas também possui Projeto de Artigos sobre Responsabilidade Internacional das Organizações Internacionais, adotado em 2011. Neste documento, a Comissão estabelece, de forma similar ao que dispõe em relação aos Estados, que "todo ato internacionalmente ilícito de uma organização internacional implica a responsabilidade internacional dessa organização" (ILC, 2011, art. 3º, tradução nossa).[7]

De forma geral, o elemento central à configuração da responsabilidade internacional de um sujeito de direito internacional, seja ele Estado ou

---

[5] Original: "Every internationally wrongful act of a State entails the international responsibility of that State".

[6] Original: "State responsibility is a fundamental principle of international law, arising out of the nature of the international legal system and the doctrines of state sovereignty and equality of states. It provides that whenever one state commits an internationally unlawful act against another state, international responsibility is established between the two. A breach of an international obligation gives rise to a requirement for reparation".

[7] Original: "Every internationally wrongful act of an international organization entails the international responsibility of that organization".

Organização Internacional, é a ocorrência de um ilícito internacional, ou seja, uma conduta comissiva ou omissiva que, cumulativamente: *i)* constitua ilícito internacional; e *ii)* seja atribuível ao Estado ou Organização Internacional.

É notável, na construção deste conceito a nível internacional, a inexigibilidade de dano para a ocorrência do ato ilícito e, consequentemente, do dever de reparação. Este é, portanto, um ponto essencial de diferenciação da responsabilidade internacional e o instituto de responsabilidade civil adotado em nosso ordenamento pátrio, que requer, para sua configuração, três elementos: conduta, dano e nexo de causalidade.

A despeito da prescindibilidade do dano no regime geral da responsabilidade internacional, é possível que este critério precise ser preenchido para a configuração da responsabilidade internacional de um agente em regimes jurídicos específicos. Neste diapasão, é de relevo a análise do Projeto de artigos sobre Prevenção De Danos Transfronteiriços Resultantes de Atividades Perigosas, também de 2001, adotado pela Comissão de Direito Internacional das Nações Unidas. Nestes artigos, a Comissão dispõe sobre atividades praticadas por Estados que repercutam negativamente sobre outros sujeitos de direito internacional. Desta forma, através da existência de um dano, ainda que decorrente de uma conduta lícita do Estado, é possível a configuração da responsabilidade internacional e do dever de reparação.

O que se tem, portanto, é uma flexibilização do quesito do ilícito internacional em razão da existência do elemento dano, de forma que a proteção ao meio ambiente reste assegurada. Aproxima-se, assim, da noção de responsabilidade objetiva por dano ambiental.

No mesmo sentido é o que se depreende do pronunciamento da Corte Interamericana de Direitos Humanos, por ocasião da Opinião Consultiva nº 23/17:

> *É importante observar que esta obrigação independe do caráter lícito ou ilegal da conduta que gera o dano, uma vez que os Estados devem reparar pronta, adequada e eficazmente as pessoas e os Estados vítimas de um dano transfronteiriço daí decorrente das atividades desenvolvidas em seu território ou sob sua jurisdição, independentemente de a atividade que causou o dano não ser proibida pelo direito internacional. Entretanto, em todos os casos, deve haver uma relação causal entre o dano causado e a ação ou omissão do Estado de origem quanto às atividades em seu território ou sob sua jurisdição ou controle (CORTE IDH, 2017, par. 103, tradução nossa).*[8]

À luz dessa Opinião Consultiva, é possível verificar uma aproximação da proteção internacional ao meio ambiente à teoria do risco integral, em busca de uma efetiva tutela do meio ambiente. Essa teoria é a mesma adotada em nosso ordenamento jurídico interno, para fins de aferição da responsabilidade por dano ambiental. É o que se verá no tópico seguinte deste artigo.

2. Responsabilidade por dano ambiental no direito interno

Em falando de responsabilidade civil no Direito brasileiro esta existia apenas na modalidade subjetiva no Código Civil de 1916, ao que a chamamos de visão tradicional de responsabilidade. Vale lembrar que o modelo subjetivo de responsabilidade civil, calcado na noção de culpa, tem por fundamento a primazia da vontade, em que a conduta desejada seria fonte última de qualquer obrigação (BELCHIOR, PRIMO, 2016).

---

[8] Original: "Es importante destacar que esta obligación no depende del carácter lícito o ilícito de la conducta que genere el daño, pues los Estados deben reparar de forma pronta, adecuada y efectiva a las personas y Estados víctimas de un daño transfronterizo resultante de actividades desarrolladas en su territorio o bajo su jurisdicción, independientemente de que la actividad que causó dicho daño no esté prohibida por el derecho internacional196. Ahora bien, en todo supuesto, debe existir una relación de causalidad entre el daño ocasionado y la acción u omisión del Estado de origen frente a actividades en su territorio o bajo su jurisdicción o control".

No entanto, tal concepção parecia limitar o campo de reparação e compensação dos interessados, fundamentos últimos da existência da responsabilidade. Assim,

> *a responsabilidade civil era incapaz de propiciar soluções efetivas em termos de cidadania, pois a exigência de demonstração da prova diabólica da culpa tornava-se um perverso filtro capaz de conter o êxito de demandas indenizatórias. O risco se converte em mero acidente, fatalidade e golpe do azar (ROSENVALD, 2014, p. 9).*

Assim, houve o desenvolvimento de uma segunda forma de responsabilização, em que a responsabilidade passa a ser objetiva, isto é, independente do querer do agente. Deste modo, hoje, na seara cível, temos que a responsabilidade pode ser dividida em duas grandes modalidades: responsabilidade subjetiva e objetiva. Neste ponto, temos, como regra geral, o que estabelece os arts. 186, 187 e 927 do Código Civil:

> *Art. 186. Aquele que, por ação ou omissão voluntária, negligência ou imprudência, violar direito e causar dano a outrem, ainda que exclusivamente moral, comete ato ilícito.*
>
> *Art. 187. Também comete ato ilícito o titular de um direito que, ao exercê-lo, excede manifestamente os limites impostos pelo seu fim econômico ou social, pela boa-fé ou pelos bons costumes.*
>
> *Art. 927. Aquele que, por ato ilícito (arts. 186 e 187), causar dano a outrem, fica obrigado a repará-lo.*
> *Parágrafo único. Haverá obrigação de reparar o dano, independentemente de culpa, nos casos especificados em lei, ou quando a atividade normalmente desenvolvida pelo autor do dano implicar, por sua natureza, risco para os direitos de outrem.*

Segundo estes artigos, depreendemos os três elementos centrais da responsabilidade civil, quer seja subjetiva ou objetiva, quais sejam: conduta, dano e nexo de causalidade. A culpa do agente, portanto, passa a ser elemento meramente acidental da responsabilidade, necessário nos casos assim previstos, não sendo mais pressuposto geral de responsabilidade civil, como no diploma anterior.

No que tange ao direito ambiental, o parágrafo único do art. 927 é claro em excetuar a verificação de culpa para a caracterização da responsabilidade nos casos especificados em lei. É precisamente este o caso da responsabilidade civil por dano ambiental. Aqui, cabe a ressalva de que em tempos anteriores ao novo sistema de responsabilidade ambiental, assim como ocorria no Direito Civil, a responsabilidade era condicionada à comprovação da culpa. No entanto, antes mesmo da modificação do Código Civil nesta matéria, houve, no Direito Ambiental, a premente percepção de que o requisito da culpa restringia "a medida jurisdicional reparatória ambiental, posto que grande parte das condutas lesivas ao meio ambiente são lícitas, isto é, contam com autorização ou licença administrativa" (LEITE, AYALA, 2015, p. 139), fato este que fazia a responsabilidade se esvair, seja pelo entendimento que não houve conduta sequer culposa da parte, seja pela exceção do fato de terceiro.

Assim, após uma tomada de consciência pública sobre o tema, enquanto a agenda ambiental tornava-se cada vez mais visada no cenário político interno e externo, houve progressivo rompimento desse modelo de responsabilidade civil por dano ambiental fundado na culpa, culminando no padrão de responsabilidade objetiva, alicerçada na teoria do risco. Essa mudança de percepção foi sobretudo fundada dificuldade em se apurar e demonstrar a culpa do causador do dano ambiental segundo os preceitos da teoria subjetiva, dadas as peculiaridades do dano ambiental, a serem aprofundadas mais adiante; frente à importância dos bens ambientais tutelados, vez que de uso comum do povo e essenciais à sadia qualidade de vida e ao desenvolvimento da humanidade em seu viés intergeracional.

A ênfase, para fins de verificação da responsabilidade, passou a ser não mais no sujeito, e sim no dano causado. Deste modo, "havendo dano, o seu causador deve repará-lo, ainda que não tenha agido com culpa, cuja existência ou não passa a ser irrelevante" (BELCHIOR, PRIMO, 2016, s.p.).

Essa mudança de paradigma tem por marco normativo o art. 14, parágrafo 1º, da Lei nº 6.938/81, sobre a Política Nacional do Meio Ambiente, que assim dispõe:

> *§ 1º - Sem obstar a aplicação das penalidades previstas neste artigo, é o poluidor obrigado, **independentemente da existência de culpa**, a indenizar ou reparar os danos causados ao meio ambiente e a terceiros, afetados por sua atividade. O Ministério Público da União e dos Estados terá legitimidade para propor ação de responsabilidade civil e criminal, por danos causados ao meio ambiente (grifos nossos).*

Esse dispositivo, tido também como fundamento do princípio do poluidor-pagador no direito ambiental, é o que estabeleceu originariamente, em nosso ordenamento, a responsabilidade objetiva em matéria de direito ambiental. O diploma legal em questão, embora anterior à Constituição de 1988, foi recepcionado por ela e mesmo reforçado por seus dizeres, vez que a tutela ao meio ambiente passou a ter *status* de garantia constitucional. Neste sentido, vejamos o que dispõe o art. 225, § 3º, da Constituição:

> *As condutas e atividades consideradas lesivas ao meio ambiente sujeitarão os infratores, pessoas físicas ou jurídicas, a sanções penais e administrativas, independentemente da obrigação de reparar os danos causados.*

Assim, vemos que a Constituição avança na matéria ao estabelecer como forma de reparação do dano ambiental três tipos de responsabilidade possivelmente incidentes sobre o caso, sendo elas independentes e autônomas entre si: civil, penal e administrativa.

Como dito, então, houve um movimento no sentido de se objetivar a responsabilidade civil a nível mundial nos dois últimos séculos. Neste sentido, a principal teoria surgida para respaldar o movimento pela objetivação da responsabilidade civil foi a teoria do risco, cujos precursores foram os juristas franceses Raymond Saleilles e Louis Josserand (BELCHIOR, PRIMO, 2016, s.p.). Esses juristas conceberam a teoria do risco enquanto probabilidade de dano – é dizer que todo aquele que exerça atividade perigosa, com risco provável de dano, seria responsável por assumir tais riscos e reparar danos eventualmente decorrentes dela (ARAGÃO, 2007). Assim, o enfoque se daria no risco, não na culpa, vez que mesmo a conduta isenta de culpa ensejaria o dever de reparação.

Em torno dessa ideia de risco, surgiram várias concepções do que o definiria e quais limitações lhes seriam aplicáveis, ao que assistimos a verdadeiras subespécies ou modalidades da teoria do risco, dentre as quais citam-se, por exemplo, a teoria do risco-proveito, do risco profissional, do risco excepcional, do risco criado e a do risco integral (BELCHIOR, PRIMO, 2016, s.p.).

Entre elas, nos interessa a teoria do risco integral, também conhecida como responsabilidade objetiva absoluta, modelo adotado pela Tese 10, do STJ.[9] Segundo essa teoria, aquele que

> *exerce uma atividade da qual venha ou pretende fruir um benefício, tem que suportar os riscos dos prejuízos causados pela atividade, independentemente da culpa. Com sua atividade, ele torna possível a ocorrência do dano (potencialmente danosa). Fala-se em risco criado, responsabilizando o sujeito pelo fato de desenvolver uma atividade que implique em risco para alguém, mesmo que aja dentro mais absoluta normalidade (ROCHA, 2000, p. 140).*

---

[9] A tese foi firmada por ocasião do julgamento do REsp 1354536/SE e do REsp 1374284/MG. Cf. BRASIL, 2014 (a) e BRASIL, 2014 (b).

Mais do que isso, no entanto, a doutrina já apontava que essa espécie de risco teria por consequência maior a irrelevância de aferição quanto à licitude da conduta do agente causador do dano ao meio ambiente, mesmo nas hipóteses de total respeito às normas e padrões destinados à proteção ambiental, devidamente autorizada pelos órgãos competentes (MILARÉ, 2011). Esse posicionamento, como visto, foi incorporado em nosso ordenamento, nos termos da Tese 10 do STJ, segundo a qual:

> *A responsabilidade por dano ambiental é objetiva, informada pela teoria do risco integral, sendo o nexo de causalidade o fator aglutinante que permite que o risco se integre na unidade do ato, sendo descabida a invocação, pela empresa responsável pelo dano ambiental, de excludentes de responsabilidade civil para afastar sua obrigação de indenizar (STJ, 2015, p. 4).*

Dessa forma, o causador do dano ambiental não pode invocar quaisquer das causas clássicas excludentes de responsabilidade: caso fortuito, força maior, fato de terceiro ou culpa exclusiva da vítima. Em especial, ressalta-se que mesmo a existência de autorização por licenciamento não impede a caracterização da responsabilidade.[10]

Não é por outra razão que alguns autores entendem ser essa espécie da teoria do risco a mais gravosa modalidade de responsabilidade civil. A teoria do risco integral, assim, estaria envolta no que chamamos causalidade pura, implicando na imposição de uma obrigação objetiva de indenizar, ainda que diante das excludentes clássicas do nexo causal, tão somente por ocorrerem no transcurso da atividade empresarial, como fruto da conduta da empresa. Assim,

---

[10] Neste sentido, ver o REsp 1.612.887-PR, Rel. Min. Nancy Andrighi, julgado em 28/04/2020 (BRASIL, 2020). O fundamento de decidir deste julgado e da Tese 10 do STJ são os art. 225, §3º, da CF e art. 14, §1º, da Lei nº 6.938/1981, sobretudo com base no princípio do poluidor-pagador.

todo e qualquer risco da atividade será internalizado em seu processo produtivo e poderá ser pleiteado em sua materialização (ROSENVALD, 2015).

Uma das consequências da adoção da responsabilidade civil objetiva será a irrelevância da aferição sobre a licitude da conduta pelo agente causador do dano ao meio ambiente, mesmo nas hipóteses de total respeito às normas e padrões destinados à proteção ambiental e autorização pelos órgãos competentes. Desta forma, cria-se a ficção de que o agente assumiu o risco ao exercer uma atividade de grande potencial lesivo a outrem e ao meio ambiente.

Voltando à Tese 10 do STJ, o entendimento de que os danos ambientais são regidos pela teoria do risco integral são fundados no princípio do poluidor-pagador e na vocação redistributiva do Direito Ambiental. Segundo o princípio do poluidor-pagador, os eventuais custos sociais ligados ao processo produtivo, ainda que externos à produção objetivamente tomada, precisam ser internalizados, a fim de que a empresa, já em seu planejamento financeiro e de atuação, considere os custos deste risco. Isso pois, na eventualidade de ocorrência do dano, a empresa já possuiria um preparo para sua reparação, vez que, caso esses danos realmente aconteçam, a empresa já se percebe como obrigada a repará-los. Esse modelo tem por teleologia oferecer a maior proteção ao meio ambiente, entendido como patrimônio coletivo da sociedade, e é fruto de uma preocupação com a dificuldade de aferição do dano na seara ambiental. Como resultado, o princípio obriga aos agentes econômicos a necessidade de pensarem e anteverem a internalização dos custos externos envolvidos em sua atividade empresarial.

Quanto à vocação redistributiva do Direito Ambiental, cabe ressaltar que há a conscientização pública de que o uso dos recursos ambientais, no maior das vezes, escassos, agrava em muito essa diminuição da disponibilidade por redução e degradação. Assim, em sendo o dano ambiental uma forma de degradação, é de especial interesse que se estabeleçam políticas públicas que assegurem que os custos ambientais sejam desde logo contabilizados nas operações econômicas para que possam ser, na medida do possível, reparados face a eventuais danos.

Esse entendimento, além de prestigiar o mandamento constitucional que impõe o dever de reparar integralmente os danos ambientais, privilegiando a garantia material da tutela ao meio ambiente, "coaduna-se, ainda, com uma ideia da relação jurídica ambiental como espécie de relação continuativa, uma vez que ela continua no tempo, atingindo, ainda, as futuras gerações" (BELCHIOR, PRIMO, 2016, s.p.). Assim, através do enfoque no dano, é possível conciliar a agenda intergeracional, vez que, para fins de sua preservação, às futuras gerações não interessará saber qual o motivo do dano ambiental ou quem foi o responsável pela sua ocorrência:

> *A solidariedade intergeracional recomenda, assim, a adoção da teoria do risco integral, que é, certamente, a modalidade de teoria do risco que fornece a proteção mais abrangente ao bem ambiental e a que melhor atende ao dever fundamental de conservá-lo para as gerações futuras (BELCHIOR, PRIMO, 2016, s.p.).*

Conclusões

O presente capítulo buscou verificar como a responsabilidade se configura, a partir das óticas internacional e doméstica. Constatou-se que a responsabilidade, enquanto regime geral internacional, diz respeito à existência de um ilícito internacional, reunindo os requisitos de conduta comissiva ou omissiva lesiva de uma obrigação e o nexo de causalidade que justifica a atribuição de dita conduta a um sujeito de direito internacional. Enquanto regime específico, na seara ambiental internacional verificou-se uma tendência a maior consideração do dano, de um lado, e diminuição do elemento subjetivo da conduta, de outro, de forma a aproximar a configuração da responsabilidade internacional por dano ambiental da teoria do risco integral.

No ordenamento doméstico, foi percebido que a responsabilidade civil depende dos elementos conduta, dano e nexo de causalidade. Neste sentido, embora, como regra geral, a conduta requeira um elemento subjetivo, ou seja, a verificação do dolo ou culpa do agente, no regime especial relativo ao meio ambiente esse quesito é flexibilizado, adotando-se a teoria do risco integral como parâmetro da aferição da responsabilidade.

Referências

ARAGÃO, Valdenir Cardoso. Aspectos da responsabilidade civil objetiva. *Âmbito Jurídico*, Revista 47, 2007. Disponível em: https://ambitojuridico.com.br/cadernos/direito-civil/aspectos-da-responsabilidade-civil-objetiva/. Acesso em: 14 jun. 2021.

BELCHIOR, Germana Parente Neiva; PRIMO, Diego de Alencar Salazar. A responsabilidade civil por dano ambiental e o caso Samarco: desafios à luz do paradigma da sociedade de risco e da complexidade ambiental. *Revista Jurídica Da FA7*, 13 (1), 2016.

BRASIL. Superior Tribunal de Justiça (2ª Seção). *REsp 1354536/SE*. RESPONSABILIDADE CIVIL POR DANO AMBIENTAL. RECURSO ESPECIAL REPRESENTATIVO DE CONTROVÉRSIA. ART. 543-C DO CPC. DANOS DECORRENTES DE VAZAMENTO DE AMÔNIA NO RIO SERGIPE. ACIDENTE AMBIENTAL OCORRIDO EM OUTUBRO DE 2008 (...).Recorrentes: Maria Gomes de Oliveira e Petróleo Brasileiro S/A PETROBRAS. Recorridos: Os mesmos. Emilia Mary Melato Gomes. Relator: Ministro Luis Felipe Salomão, Distrito Federal, 26 mar. de 2014 (a). Disponível em: https://scon.stj.jus.br/SCON/GetInteiroTeorDoAcordao?num_registro=201202466478&dt_publicacao=05/05/2014. Acesso em: 14 jun. 2021.

BRASIL. Superior Tribunal de Justiça (2ª Seção). *REsp 1374284/MG*. RESPONSABILIDADE CIVIL POR DANO AMBIENTAL. RECURSO ESPECIAL REPRESENTATIVO DE CONTROVÉRSIA. ART. 543-C DO CPC. DANOS DECORRENTES DO ROMPIMENTO DE BARRAGEM. ACIDENTE AMBIENTAL OCORRIDO, EM JANEIRO DE 2007, NOS MUNICÍPIOS DE MIRAÍ E MURIAÉ, ESTADO DE MINAS GERAIS. TEORIA DO RISCO INTEGRAL. NEXO DE CAUSALIDADE (...).Recorrente: Mineração Rio Pomba Cataguases Ltda. Recorrida: Emilia Mary Melato Gomes. Relator: Ministro Luis Felipe Salomão, Distrito Federal, 27 ago. de 2014 (b). Disponível em:

https://scon.stj.jus.br/SCON/GetInteiroTeorDoAcordao?num_registro=201201082657&dt_publicacao=05/09/2014. Acesso em: 14 jun. 2021.

CORTE IDH. Medio ambiente y derechos humanos (obligaciones estatales en relación con el medio ambiente en el marco de la protección y garantía de los derechos a la vida y a la integridad personal - interpretación y alcance de los artículos 4.1 y 5.1, en relación con los artículos 1.1 y 2 de la Convención Americana sobre Derechos Humanos). Opinión Consultiva OC-23/17 de 15 de noviembre de 2017. Serie A No. 23.

LEITE, José Rubens Morato; AYALA, Patryck de Araújo. *Dano ambiental*: do individual ao coletivo extrapatrimonial - teoria e prática. 7. ed. São Paulo: Revista dos Tribunais, 2015.

INTERNATIONAL LAW COMMISSION (ILC). *Draft articles on Prevention of Transboundary Harm from Hazardous Activities, with commentaries*. Adotado em 2001. Disponível em: https://legal.un.org/ilc/texts/instruments/english/commentaries/9_7_2001.pdf. Acesso em 14. Jun. 2022.

INTERNATIONAL LAW COMMISSION (ILC). *Draft Articles on Responsibility of International Organizations*. Adotado em 2011. Disponível em: https://legal.un.org/ilc/texts/instruments/english/draft_articles/9_11_2011.pdf. Acesso em 14. Jun. 2022.

INTERNATIONAL LAW COMMISSION (ILC). *Draft Articles on Responsibility of States for Internationally Wrongful Acts*: with commentaries. Adotado em 12 de dezembro de 2001 in: Yearbook of the International Law Commission, vol. II (Part Two), p. 31-143. Disponível em: https://legal.un.org/ilc/texts/instruments/english/commentaries/9_6_2001.pdf. Acesso em 14. Jun. 2022.

PELLET, Alain. The Definition of Responsibility in International Law. In: CRAWFORD, James; PELLET, Alain; OLLESON, Simon. *The Law of International Responsibility*. Oxford: Oxford Scholarly Authorities on International Law, 2010.

PERMANENT COURT OF INTERNATIONAL JUSTICE (PCIJ). *Factory at Chorzow (Germany vs Poland)*, Series A, No. 17. Collection of Judgments A.W. Sijthoff's Publishing Company, Leyden, 1928. Disponível em: http://www.worldcourts.com/pcij/eng/decisions/1928.09.13_chorzow1.htm. Acesso em 14. Jun. 2022.

ROSENVALD, Nelson. *As funções da responsabilidade civil*: a reparação e a pena civil. 2. ed. São Paulo: Atlas, 2014.

ROSENVALD, Nelson. *A Teoria do Risco no Direito Ambiental*. Nelson Rosenvald, 2015. Disponível em: https://www.nelsonrosenvald.info/single-post/2015/08/17/a-teoria-do-risco-no-direito-ambiental. Acesso em: 28 mai. 2021.

SHAW, Malcolm N. *International Law*. 6 ed. Cambridge: Cambridge University Press, 2008.

SUPERIOR TRIBUNAL DE JUSTIÇA (STJ). Direito Ambiental. *Jurisprudência em teses*, nº 30, Brasília, 18 mar. 2015. Disponível em: https://www.stj.jus.br/internet_docs/jurisprudencia/jurisprudenciaemteses/Jurisprud%C3%AAncia%20em%20teses%2030%20-%20direito%20ambiental.pdf. Acesso em: 14 jun. 2022.

PREVALÊNCIA DOS DIREITOS HUMANOS: O DIREITO AO MEIO AMBIENTE EQUILIBRADO E A DIGNIDADE DO HOMEM COMO TEMA CENTRAL NA ANÁLISE DO CASO PEQUIÁ DE BAIXO

Leidiane Santos Vilarindo [1*]

Introdução

A exploração dos recursos minerais em nosso país foi um caminho escolhido pela administração pública federal para promover o desenvolvimento e reduzir as desigualdades sociais entre as diferentes regiões de nossa federação. Nesse sentido, há pouco mais de 40 anos, foi promulgado o Decreto-Lei nº 1.813, de 24 de novembro de 1980, que estabeleceu o regime especial de concessão de incentivos fiscais e financeiros para projetos incluídos no Programa Grande Carajás, desenvolver-se na área ao norte do paralelo 8 (oito graus) e entre os rios Amazonas, Xingu e Parnaíba, abrangendo parte dos estados do Pará, Goiás e Maranhão (BRASIL, 1980).

---

[1] * **Leidiane Santos Vilarindo**:
-Advogada, Assessora jurídica na Procuradoria Geral de Justiça do município de Açailândia /MA.
-Aluna do Programa de Pós-Graduação *Stricto Sensu* em Direito - Mestrado em Direito Internacional - da Universidade Católica de Santos - UniSantos.
-E-mail: leidianevilarindo123@gmail.com.
-Acesso ao Currículo Lattes: <http://lattes.cnpq.br/8639662563102014>.

Com a implantação das siderúrgicas, de fato, as indústrias produzem ferro-gusa, que é basicamente uma liga de ferro, resultado da redução do minério de ferro, pela absorção de carbono, em um alto-forno. O grande problema da produção de ferro-gusa no Brasil, e principalmente na região de Carajás, é que se utiliza muito carvão vegetal, que por sua vez serve de combustível para manter os fornos a uma temperatura de 1.500°C, necessária para na fundição de minério de ferro e como agente químico para o processo de redução de óxido de ferro (MIRRA, 2011).

Ressalte-se também que com a chegada das siderúrgicas vieram as minas de carvão e consequentemente o trabalho escravo, que o Pará foi o estado brasileiro com maior número de casos registrados de trabalho análogo ao de escravo, enquanto o Maranhão foi o sétimo.

E por último, mas não menos importante, o desmatamento acelerado para a produção de carvão para as siderúrgicas, incluindo muitas das carvoarias pertencentes às siderúrgicas mencionadas acima. A comunidade de Pequiá de Baixo, localizada no município de Açailândia, Maranhão, na região pré-amazônica, está inserida no foco principal dessa situação de ônus ambientais.

O objetivo específico é investigar a qualidade de vida da população envolvida a partir da verificação da presença de serviços públicos mínimos como acesso à saúde, saneamento básico, rede de tratamento de água encanada, incluindo acesso a condições dignas de moradia e meio ambiente equilibrado.

1. Da Vulnerabilidade Social da População do Pequiá de Baixo

Os efeitos da poluição das atividades de mineração e siderurgia no entorno da comunidade de Pequiá de Baixo, em Açailândia (Maranhão), na Amazônia brasileira, é um caso grave de violação de direitos humanos, que desrespeita a dignidade humana há décadas, violando os direitos dessa população à vida, à saúde e à moradia digna (SARLET, 2013).

São mais de 300 famílias lutando há décadas contra a poluição causada pelas siderúrgicas da Vale S/A. A luta das famílias Pequiá de baixo para cima é um exemplo de como a indústria opera há décadas sem o devido respeito pelos direitos humanos e com intervenção limitada do Estado (FENSTERSEIFER, 2008).

As siderúrgicas que poluem Açailândia afirmam que chegaram ao local antes da população, mas os primeiros registros de ocupação do bairro, como a própria escola local, datam da década de 1970, mais de dez anos antes da instalação da Grande Carajás Programa e os impactos ambientais da mineração e siderurgia, os efeitos da poluição das atividades de mineração e siderurgia no entorno da comunidade de Pequiá de Baixo, em Açailândia (Maranhão), na Amazônia brasileira, é um caso grave de violação de direitos humanos direitos humanos, que há décadas desrespeita a dignidade humana. , violando os direitos dessa população à vida, à saúde e à moradia digna (MIRRA, 2011).

São mais de 300 famílias que lutam há décadas contra a contaminação causada pelas siderúrgicas da Vale S/A. A luta de baixo das famílias Pequiá é um exemplo de como a indústria opera há décadas sem o devido respeito aos direitos humanos e com intervenção limitada do Estado.

As siderúrgicas que poluem Açailândia afirmam que chegaram ao local antes da população, mas os primeiros registros de ocupação do bairro, como a própria escola local, datam da década de 1970, mais de dez anos antes da instalação da Grande Carajás. Programa e os impactos ambientais da mineração e siderurgia, que também atingem os moradores de Pequiá de Cima e bairros adjacentes (SILVA, 2018).

O relatório da ONU sobre Pequiá de Baixo reconhece uma "incrível história de coesão e resiliência de uma comunidade que luta por seus direitos", destacando a recorrente omissão de poder público e empresas que exploram a riqueza do local. Ressalta-se que a história de luta e sofrimento de um povo como os habitantes de Pequiá de Baixo é um exemplo paradigmático das violações sofridas pelas comunidades amazônicas. também atingem moradores de Pequiá de Cima e bairros adjacentes (COSTA NETO, 2003).

O relatório da ONU sobre Pequiá de Baixo reconhece um "incrível histórico de coesão e resiliência de uma comunidade que luta por seus direitos", destacando a recorrente omissão de poderes públicos e empresas que exploram as riquezas do local. Ressalta-se que a história de vida de luta e sofrimento de um povo como os moradores de Pequiá de Baixo é um exemplo paradigmático das violações sofridas pelas comunidades amazônicas (SILVA, 1988).

A visibilidade nacional e internacional das reivindicações da comunidade de Pequiá de Baixo é um convite para que as empresas, o Governo Federal e o Governo do Estado do Maranhão atuem com eficiência e responsabilidade, com vistas a compor soluções justas e adequadas, constitucionalmente e garantindo dessa maneira a pronta conclusão das obras de reassentamento da comunidade, bem como a reparação integral das violações sofridas (CAPELLI, 2017).

Ressaltamos que nem todas as violações são reparadas com o reassentamento da comunidade: os danos causados à saúde e ao meio ambiente, a perda do valor patrimonial pela poluição, a desterritorialização de suas casas, seus bairros, valores e bens materiais. imaterial. de toda a vida, entre outros, ainda devem ser reparados pelas empresas e pelo Estado.

Diante de toda a realidade apresentada, embora Pequiá concentre grande parte da riqueza arrecadada no município de Açailândia, devido ao complexo siderúrgico instalado em seu território, também possui, por outro lado, um dos maiores índices de vulnerabilidade no município, além de um forte impacto que prejudica gravemente tanto o meio ambiente quanto a saúde de seus habitantes.

Em contraste com o desenvolvimento econômico trazido para a região, o polo de ferro gusa de Pequiá tem causado grandes impactos ambientais, principalmente no bairro Pequiá de Baixo, que sofre com a grave poluição do ar, bastante percetível através do despejo de resíduos (ROCHA, 2015).

Segundo Born (2019), esses grandes investimentos trouxeram poucos benefícios às populações locais e trouxeram sérias consequências para as famílias que moram no entorno desse polo. Além do desemprego, que causa uma série de outros problemas sociais, levando a maioria das famílias a uma situação de extrema pobreza, faltam políticas mais efetivas que garantam a segurança cidadã, moradia digna e a questão da poluição ambiental. ambiente que, consequentemente, causa problemas de saúde.

Os moradores de Pequiá de Baixo constituem uma média de 350 famílias, que há cerca de 25 anos lutam contra a situação de insalubridade, poluição, degradação ambiental e o comprometimento e agravamento dos problemas de saúde e sociais de acordo com os dados socioeconômicos expostos anteriormente.

Observa-se diariamente nas residências deste bairro, resíduos provenientes do trabalho realizado pelas indústrias com grande contaminação de poeira química, agravando a saúde de seus moradores, com recorrentes doenças de pele e respiratórias. As patologias incluem problemas respiratórios, tanto agudos como crônicos, além de doenças de pele, alta incidência de câncer na população, problemas digestivos, problemas oftalmológicos, abortos, problemas cardíacos e outros. Diversos laudos técnicos constataram que a convivência entre indústrias e assentamentos humanos na localidade é inviável.

2. Direito ao Ambiente Equilibrado e Sustentável. Fonte de Dignidade

Consagrado pela Constituição Federal de 1988, no artigo 225, caput, estabelece que toda pessoa tem direito ao meio ambiente ecologicamente equilibrado. Cabe destacar inicialmente que o direito ao meio ambiente ecologicamente equilibrado é um direito fundamental. Embora não conste do catálogo de direitos fundamentais do Título II da Constituição, o direito ao meio ambiente apresenta efetivamente o caráter de fundamentalidade, dada sua vinculação com a preservação da vida e da dignidade humana, núcleo essencial dos direitos humanos (ROCHA, 2015).

Portanto, diz Nicolao Dino, uma qualidade de vida saudável, com a manutenção de padrões estáveis de dignidade e bem-estar social, não exclui um meio ambiente saudável e ecologicamente equilibrado.

Além disso, o direito ao meio ambiente é um direito fundamental de terceira geração ou dimensão, incluído entre os chamados "direitos de solidariedade" ou "direitos dos povos". E, como tal, o direito ao meio ambiente é individual e coletivo e interessa a toda a humanidade, esse é inclusive o entendimento firmado pelo Supremo Tribunal Federal sobre o assunto.

Como direito fundamental, o direito ao meio ambiente ecologicamente equilibrado é inalienável, indisponível e imprescritível. Como direito de terceira geração, o direito ao meio ambiente apresenta- se simultaneamente como direito de defesa e direito ao benefício. Consequentemente, os contribuintes são obrigados neste caso, tanto o poder público quanto o privado a abster-se, não agir, que consiste em não degradar a qualidade ambiental, e, ao mesmo tempo, agir positivamente, agir no sentido de defender e recuperar a qualidade ambiental degradada, tendendo, em ambas as situações, a obter e manter um status previamente definido no texto constitucional: o meio ambiente ecologicamente equilibrado.

3. O Direito de Acesso à Informação Ambiental

Pode-se dizer que os direitos à informação ambiental, a participação pública ambiental e o acesso à justiça em matéria ambiental são corolários, ou seja, consequências lógicas do direito fundamental ao meio ambiente, sem o qual ele não se concretiza (CAPPELLI, 2017).

A relevância da dimensão processual do direito ao meio ambiente tem sido objeto de afirmação internacional, seja em instrumentos universais, seja em instrumentos regionais, com destaque para os três direitos mencionados. Expressivo, ao ponto, é o Princípio 10 da Declaração das Nações Unidas sobre Meio Ambiente e Desenvolvimento, adotada na Conferência do Rio de Janeiro em 1992:

> *"A melhor maneira de abordar os problemas ambientais é garantir a participação, no nível adequado, de todos os cidadãos interessados. Em nível nacional, todo indivíduo deve ter acesso adequado às informações sobre o meio ambiente mantidas pelas autoridades públicas, incluindo informações sobre materiais perigosos e atividades em suas comunidades, bem como a oportunidade de participar dos processos de tomada de decisão. "*

Os Estados devem facilitar e incentivar a conscientização e a participação do público, tornando a informação disponível para todos. Deve ser garantido o acesso efetivo aos mecanismos judiciais e administrativos, inclusive no que diz respeito à compensação e reparação de danos".

Seguindo o caminho aberto pela Declaração do Rio, surgiu a convenção internacional sobre acesso à informação, participação pública nos processos decisórios e acesso à justiça em questões ambientais, realizada na cidade de Aarhus, na Dinamarca, em 1998. Trata-se de uma convenção europeia- amplo tratado, elaborado sob os auspícios da Comissão Econômica das Nações Unidas para a Europa, é certo que sua importância extrapola a esfera de interesse das partes contratantes, pelo fato de constituir o mais pleno de caráter obrigatório. e atualizados sobre o assunto e relacionam expressamente a efetivação dos direitos à informação, participação e acesso à justiça em matéria ambiental com a efetivação do direito fundamental ao meio ambiente.

Além disso, a convenção em questão está aberta à ratificação por todos e cada um dos Estados que fazem parte do sistema das Nações Unidas. No âmbito nacional, o Brasil conta há vários anos com mecanismos institucionais que permitem o acesso relativo à informação e a participação nos processos decisórios ambientais, como a lei de acesso público a dados e informações existentes nos órgãos e entidades que fazem parte do Sistema Nacional. (Lei 10.650/2003), as audiências públicas para discussão de estudos de impacto ambiental, a participação de pessoas físicas e entidades intermediárias em órgãos colegiados dotados de competência regulatória (por exemplo, Conama – Conselho Nacional do Meio Ambiente) e a publicidade inerente aos processos de licenciamento (BRASIL, 2003).

Da mesma forma, a ordem constitucional e infraconstitucional do país dispõe de diversos instrumentos processuais capazes de facilitar o acesso participativo à justiça em matéria ambiental (ação popular, ação civil pública, mandato coletivo, ação declarativa de inconstitucionalidade de leis e atos normativos).

Todos esses institutos, como se vê, tenderiam a ser fortalecidos e aperfeiçoados com a elaboração do referido tratado regional latino-americano e caribenho e o intercâmbio com os diversos países signatários que dele derivariam inevitavelmente.

4. Sociedade Civil Organizada em Busca de Seus Direitos

No ano de 2007, devido à preocupação de dois moradores, a Associação de Residentes do Pequiá de Baixo iniciou uma consulta popular local e, em sua totalidade, mobilizou-se com vistas a um reassentamento coletivo. É interessante notar que essa mobilização tem seus fundamentos na democracia e não no direito público (SARLET, 2013).

Para Mirra (2011), os direitos são garantidos por leis que estabilizam a sociedade civil, muitas das quais têm sido reconhecidas não em razão de disputas históricas (como os direitos fundamentais) para sua efetivação. Porém, em muitos países, depende da própria sociedade civil, da cultura política e de sua organização, que também terá de zelar pela construção de novos direitos de acordo com novas necessidades e ações.

Assim, percebe-se na atitude de dois moradores, que lutam por longas décadas por condições mínimas de moradia e saúde, que os direitos de reunião, associação e liberdade de expressão possibilitam que as organizações atuem sem o processo de formação de opiniões, esse tema questões de interesse geral e idade em nome de dois sujeitos sociais que têm dificuldades em se organizar. Pestana (2013) debate essa ideia envolvendo ou a propriedade privada, com seu discurso desenvolvimentista, ou o confronto dessa realidade observada pelos moradores versus ou posicionamento que visa a evasão das instalações ao invés de um confronto direto com as siderúrgicas implantadas.

Visto de fora, os impactos socioambientais na comunidade de Pequiá de Baixo apresentarão, como talvez a única consequência positiva, a conscientização e mudança do paradigma existente na forma como as pessoas identificarão a função social que a propriedade privada possui, ou razão suficiente para lutar pela sua manutenção, dessa forma empoderando-se como comunidade em busca da reparação das agressões sofridas e do resgate de sua dignidade por meio de dois meios de justiça disponíveis, capazes de assegurar o direito de viver em ambientes humanizados (COSTA NETO, 2003).

Tal instrumentação é percebida não o posicionando como mediador da Associação de Residentes de Pequiá de Baixo. Essa análise entre o diálogo e o conflito pode ser percebida como o caminho para o processo de crescimento e mudança da sociedade. Uma vez que o desenvolvimento promovido pelas siderúrgicas tem causado impactos ambientais e também sociais, deve ser considerado em um ataque, como uma força para as "grandes siderúrgicas", que contam eminentemente com o apoio do poder público (SILVA, 2018).

Espera-se que pelo menos esse poder público permita a redução das consequências de dois impactos na vida de dois moradores, haja vista que o deslocamento tem sido um dos dois meios de exigir melhores condições e qualidade de vida.

4.1 Caso Pequiá de Baixo Reconhecido Internacionalmente pelas Violações aos Direitos Humanos

Denúncias sobre as violações de direitos humanos da comunidade de Pequiá já foram apresentadas e reconhecidas por instâncias internacionais de direitos humanos, em especial em uma audiência temática na Comissão Interamericana de Direitos Humanos (CIDH), durante o seu 156° período ordinário de sessões, em sua sede, em Washington D.C., nos Estados Unidos, assim como por relatórios especiais da Organização das Nações Unidas (ONU) sobre o direito de todos ao gozo do mais alto nível de saúde mental e física, sobre as implicações para os direitos humanos da disposição e gestão ambientalmente adequada de substâncias e dejetos perigosos, sobre o direito humano ao saneamento e água potável e pelo Grupo de Trabalho sobre direitos humanos, corporações transnacionais e outras empresas (SILVA, 2018).

O Estado brasileiro foi indagado em janeiro de 2014 por meio de comunicação da ONU acerca das medidas que deveria tomar para proteger, respeitar e efetivar os direitos dos moradores da comunidade de Pequiá, especialmente quanto ao controle da poluição, à responsabilização das empresas pelos danos, aos serviços de atenção à saúde e à efetivação do reassentamento.

Em especial, foi solicitado ao Estado brasileiro que apresentasse respostas a dez perguntas que compreendem desde a matéria fática até as medidas preventivas utilizadas pelo Estado para evitar que as empresas sigam provocando impactos sobre os direitos humanos da comunidade, além de medidas para a responsabilização das empresas e a reparação de danos (FENSTERSEIFER, 2008).

A resposta do Estado brasileiro, enviada à ONU em 11 de novembro de 2014, foi considerada insatisfatória pelos representantes do organismo internacional, o que motivou uma nova comunicação das mesmas relatórios especiais e do grupo de trabalho sobre o direito de todos ao gozo do mais alto nível de saúde mental e física, assinada por Dainius Puras; sobre as implicações para os direitos humanos da disposição e gestão ambientalmente adequada de substâncias e dejetos perigosos, por Baskut Tuncak; para o direito humano ao saneamento e água potável, por Léo Heller; e do Grupo de Trabalho sobre direitos humanos, corporações transnacionais e outras empresas, por Margaret Jungk.

Essa comunicação data de 24 de julho de 2015. Pelo que se sabe, a resposta do Estado brasileiro, esperada em um prazo de sessenta dias, não foi ainda recebida pela ONU. Representantes do Ministério das Relações Exteriores informaram à equipe da FIDH e da Justiça nos Trilhos, durante reunião realizada em 8 de março de 2018 na sede deste ministério em Brasília, e que teve como objetivo a apuração de informações para a produção deste relatório, que desconheciam quaisquer iniciativas que eventualmente tenham sido tomadas por representantes do Estado brasileiro para providenciar respostas às indagações da ONU.

Conclusão

As discussões que permeiam os problemas socioambientais oriundos dos impactos ocasionados por siderúrgicas no Brasil e especificamente no Maranhão não são recentes. A muito se trata deste tema, e os recortes da realidade apresentados neste artigo representam a necessidade de continuar debatendo e observando as condições contínuas de exposição à baixa qualidade de vida dos moradores de Pequiá de Baixo do Município de Açailândia – MA.

As condições de vulnerabilidade social e o desemprego acarretam a uma série de outros problemas sociais, levando a maioria das famílias a uma situação de extrema pobreza, agravada pela ausência de atuação de políticas mais eficazes que garantam a segurança pública, moradia digna e a redução ou eliminação da poluição no meio ambiente, o que consequentemente desencadeia problemas de saúde dos moradores.

A atitude dos moradores por meio da representatividade da Associação, intentando por longas décadas pelo mínimo de condições de moradia e saúde, tem possibilitado tímida mente a ação das organizações no processo de formação de opinião, que tematizam questões de interesse geral e agem em nome dos sujeitos sociais com dificuldades de se organizar civil e politicamente.

Do lado das siderúrgicas primárias, a internalização de lucros deu-se em grande medida pela forte articulação do setor à demanda do carvão vegetal, aos custos muito baixos, cujo arcaico processo de produção tem contribuído significativamente para a poluição local, agindo unilateralmente quando não permitiu a dinamização socioeconômica da comunidade local e [re]produziu interações pobres que não se refletiram na construção de relações bilaterais qualitativas.

Os conflitos e as contradições localmente instituídas não somente apresentaram as vulnerabilidades sociais da comunidade, mas criaram desenlaces que limitaram o empoderamento comunitário e, consequentemente, a perspectiva do alcance próximo dos benefícios do desenvolvimento local.

A discussão dessa temática é uma reflexão sobre a continuidade das deterioradas dinâmicas socioeconômicas que envolvem empresas e comunidades circunvizinhas, no seio de um caráter unilateral de ações e geração de externalidades (poluição), que não tencionam para relações que possam diminuir as vulnerabilidades sociais existentes e avançar para uma fase posterior, com apoio do poder público, que configure processos mínimos de desenvolvimento local. Em Açailândia, a siderurgia continua perpetuando os contradições e conflitos locais, sem apresentar ainda soluções que minimizem essas externalidades e, por conseguinte, reduzam as vulnerabilidades sociais apontadas.

Referências

BORN, Rubens Harry. **Oportunidades e desafios na 2ª etapa de negociação de acordo internacional sobre direitos à informação, à participação e à justiça em matéria ambiental.** Belo Horizonte: Del Rey. 2019.

CAPPELLI, Sílvia. **Acesso à Justiça, à informação e participação popular em temas ambientais.** In: LEITE, José Rubens Morato; DANTAS, Marcelo Buzaglo (Orgs.). Aspectos Processuais do Direito. São Paulo: Atlas. 2017.

COSTA NETO, **Nicolao Dino de Castro e. Proteção Jurídica do Meio Ambiente.** Belo Horizonte: Del Rey, 2003, p. 17.

FENSTERSEIFER, Tiago. **Direitos Fundamentais e Proteção do Ambiente: a dimensão ecológica da dignidade humana no marco jurídico-constitucional do Estado Socioambiental de Direito**. Porto Alegre: Livraria do Advogado, 2008, p. 57 e ss.

MIRRA, Álvaro Luiz Valery. **Participação, Processo Civil e Defesa do Meio Ambiente.** São Paulo: Letras Jurídicas, 2011, p. 103 e ss.

ROCHA, Milene Rocha Vieira Santos, SILVA, Dyllean de Cássia Oliveira; LOIOLA, Edney **Amazônia Oriental:** impactos socioambientais em Pequiá de Baixo no Município de Açailândia-MA." In: Revista Acta Ambiental Catarinens. 2015. Jan/Dez. 17-30. Disponível em: https://bell.unochapeco.edu.br/revistas/index.php/acta/article/view/3224. Acesso em: 20 maio 2022

SARLET, Ingo Wolfgang. **A Eficácia dos Direitos Fundamentais**. 3ª ed. Porto Alegre: Livraria do Advogado, p. 129. 2013.

SARLET, Ingo Wolfgang, op. cit., p. 54; LAFER, Celso. **A reconstrução dos direitos humanos: um diálogo com o pensamento de Hannah Arendt.** São Paulo: Companhia das Letras, 1988, p. 131.

SILVA, Solange Teles da. **Direito fundamental ao meio ambiente ecologicamente equilibrado: avanços e desafios**. Revista de Direito Ambiental, n. 48, p. 230. 2018.

PROTEÇÃO DA ÁGUA NAS CONSTITUIÇÕES DO BRASIL E DO URUGUAI: ELEMENTOS DE DIREITO COMPARADO PARA A BOA GOVERNANÇA GLOBAL

Noemi Lemos França [1*]

1. Objetivos, declaração do problema, metodologia

A crise ambiental global contemporânea, caracterizada pela consciência dos Estados e outros atores quanto à necessidade de gestão compartilhada para prevenção e saneamento de danos em benefício das presentes e futuras gerações, e a nova estrutura da governança global em meio ambiente ainda em processo de rearranjo tornam relevante o estudo do Direito comparado como instrumento de produção de conhecimento quanto às normas jurídicas harmônicas ou por harmonizar de ordenamentos jurídicos em interação.

[1] * **Noemi Lemos França**:
-Bolsista CAPES PROSUC Edital nº 76 de 1º/7/2021.
-Doutoranda em Direito ambiental internacional (UNISANTOS/SP, 2021).
-Tecnóloga em gestão ambiental (UNIFACS/BA, 2018).
-Mestra em direitos humanos (UNIMEP, Piracicaba/SP, 2013).
-Especialista em direito ambiental (PUC/SP, 2008).
-Especialista em direito civil (UNIJORGE/BA, 2005).
-Especialista em direito processual civil (UFBA/BA, 2001).
-Bacharel em Direito (UCSAL/BA, 1998).
-Advogada OAB/BA 15.291.
-CV: http://lattes.cnpq.br/5199295111009969.

O estudo do Direito comparado como instrumento de produção de conhecimento é uma ideia muito bem resumida nas palavras de Ana Lucia de Lyra Tavares (2006: 74):

> *O ensino por ramo do direito é extremamente importante, mas é o direito comparado em geral que melhor permite de alcançarem-se os objetivos de aprofundamento dos conhecimentos dos sistemas jurídicos estrangeiros, de aprimoramento do direito nacional e de aproximação dos povos pelo respeito de suas identidades culturais.*

Sobre o saneamento de danos, a afirmamos anteriormente com base em Arne Ness (2006: 217) (tradução nossa) (*apud* FRANÇA, 2013: 27) que:

> *Há incertezas não apenas quanto às alegações de existência de uma crise ambiental, mas também quanto ao teor das consequências danosas apontadas por ambientalistas. Os ecologistas e outros cientistas ambientais indicam que se continua em uma carreira catastrófica, mas não há previsões firmes sobre o que realmente vai acontecer.*

Pamela S. Chasek, David L. Downie e Janet W. Brown (2016: 1-49) (tradução própria), quando analisam o surgimento da política global de meio ambiente, argumentam que os países passaram a se preocupar com as questões ambientais ao começarem a sofrer os efeitos da crise ambiental. A compreensão da crise ambiental se deu à medida que foi possível compreender os impactos das ações humanas no meio ambiente e, em consequência, na economia.

Acerca da gestão compartilhada para prevenção e saneamento de danos em benefício das presentes e futuras gerações, Edith Brown Weiss (1992: 385-412) (tradução própria) desenvolve a ideia de equidade intergeracional no sentido de que cada geração é guardiã do planeta para as gerações futuras, bem como uma beneficiária de seus recursos, considerando-se ainda o desenvolvimento sustentável como uma função de um equilíbrio entre as necessidades inter e intra geracionais.

A nova estrutura da governança global em meio ambiente ainda em processo de rearranjo é o que analisam David Held e Anthony McGrew (2001: 11-23 e 14-48) (tradução própria) quando dissertam nos capítulos "Conceituando a globalização" e "'Gridlock [Travas]': porque a cooperação global está caindo quando mais precisamos":

> *[Esta] [...]instituição política crucial - cooperação intergovernamental institucionalizada - enfrenta um período de crise, que chamamos de impasse. A governança global certamente nunca foi fácil, mas atualmente enfrenta um novo conjunto de desafios. [Identificamos] [...] identificamos quatro mecanismos que tornaram a cooperação cada vez mais difícil, quatro rotas ou caminhos para o congestionamento. Em primeiro lugar, a difusão do poder do que costumava ser conhecido como o mundo industrializado para as economias emergentes aumentou o número de atores que devem concordar - e a diversidade de interesses que devem ser acomodados - a fim de alcançar uma cooperação significativa. Segundo, o legado institucional do período pós-guerra 'travou' processos de formulação de políticas que agora se tornaram disfuncionais. Terceiro, os itens mais fáceis da agenda de cooperação já foram tratados; ainda mais uma interdependência mais profunda cria a necessidade de mais sofisticação, instituições complexas e poderosas, que são mais difíceis de criar. Em quarto lugar, a proliferação de instituições levou a um 'regime fragmentado complexo' (Raustiala e Victor 2004) que podem impedir a cooperação eficaz em vez de facilitá-la.*

Diante desse cenário, como problema de pesquisa científica propõe-se investigar quais melhorias em regimes internos e externos, ou sua ausência, com vistas a governança global, são possíveis de serem feitas a partir da exploração de elementos do Direito comparado entre as Constituições do Brasil e do Uruguai?

Para buscar responder esse problema de pesquisa, no item 2 deste artigo, subitem "Elementos de Direito comparado entre as Constituições do Brasil e do

Uruguai quanto à proteção da água" serão descritos breve e comparativamente as Constituições do Brasil e do Uruguai quanto à proteção da água a partir de elementos do Direito comparado.

Anda no item 2, subitem "Implicações na governança global em águas transfronteiriças a partir de elementos específicos do Direito constitucional comparado" serão exploradas diretrizes de melhoria na governança global em águas transfronteiriças a partir da breve descrição comparativa entre as Constituições do Brasil e do Uruguai quanto à proteção da água com elementos do Direito comparado.

A pesquisa tem como objetivo geral a contribuição na solução de questões socioambientais; e como objetivo específico a contribuição na cooperação entre Países com corpos d'água transfronteiriços.

Nos termos postos, metodologicamente, o estudo se deu pelo método indutivo, definido como aquele que "corresponde à extração discursiva do conhecimento a partir de evidências concretas passíveis de ser generalizadas"; e caracterizado como aquele que "procede do particular para o geral, ressaltando-se a empiria do ponto de partida", segundo Eduardo Carlos Bianca Bittar (2016: 34-35). Também pelo método dedutivo, definido como aquele que "corresponde à extração discursiva do conhecimento a partir de premissas gerais aplicáveis a hipóteses concretas"; e caracterizado como aquele que "procede do geral para o particular", conforme Eduardo Carlos Bianca Bittar (2016: 34-35).

As técnicas de investigação foram o levantamento bibliográfico, segundo Antônio Carlos Gil (2002: 42) ou técnica de investigação teórica conceitual e normativa, conforme Eduardo Carlos Bianca Bittar (2016: 215-217).

Esse esforço voluntário de pesquisa se justifica porque a desgovernança global ambiental gera danos ecológicos e põe em risco a qualidade de vida dos seres humanos.

2. Desenvolvimento

2.1. Elementos de Direito comparado entre as Constituições do Brasil e do Uruguai quanto à proteção da água

Neste item será feita uma breve descrição comparativa entre as Constituições do Brasil e do Uruguai quanto à proteção da água a partir de elementos do Direito comparado.

O Direito comparado enquanto ciência [2] permite a produção de conhecimento sobre as vantagens ou não de duas ordens jurídicas de Países diferentes e de famílias jurídicas iguais ou diversas quanto ao alcance de suas finalidades.

Apenas para ilustrar a diversidade de famílias jurídicas, veja-se o que diz Orione Dantas de Medeiros (2010: 35):

> *Apesar de a maioria dos autores se referirem apenas às famílias do Civil Law e do Common Law, salienta Ivo Dantas (2006, p. 213) que não se pode desprezar a existência de famílias com caráter nitidamente religioso (modelo muçulmano) e aquelas que se inspiram nas ideias marxistas. Ele acrescenta ainda que, apesar da queda do Muro de*

---

[2] Embora Medeiros nas "Considerações finais" não opine sobre ser ou não ciência (Medeiros, 2010, p. 331), ao escrever sobre a epistemologia do Direito comparado, este autor afirmou, com o que se concorda: "Em linha de defesa, para caracterizar o Direito Comparado como conhecimento científico, basta que disponha de um objeto (a pluralidade de ordens jurídicas), um método específico (o método comparativo) (Almeida, 1998, p. 27), bem como de um terceiro elemento, que é sua autonomia doutrinária e didática". (Medeiros, 2020, p. 318) E ainda: "No Vocabulaire Juridique, publicado em Paris em 1936 e coordenado por Henri Capitant, definiu-se o Direito Comparado como 'o ramo da ciência do direito que tem por objeto a aproximação sistemática das instituições jurídicas de diversos países'". (Medeiros, 2010, p. 316)

> *Berlim e de todas as modificações ocorridas na Europa, não parece que possa justificar a exclusão do modelo socialista, do que seria exemplo (e só ele bastaria para justificar) o sistema jurídico cubano.*

A comparação integral feita nesse ramo da ciência do Direito precisa vir de elementos como ordenamento jurídico, doutrina e jurisprudência, sempre acompanhados de seus aspectos históricos e culturais e sem pretensões de ranqueamento e sim de produção de informação a partir da análise comparativa.

Interessante é o ensinamento de Otto Pfersmann (2017: 252, 255-256) (tradução de Heloïse Pandelon) sobre como se dá a pesquisa de direito comparado:

> *Se julgamos o direito comparado a partir das atividades desenvolvidas sob essa denominação, as seguintes crenças, mais ou menos implícitas, circulam de maneira dominante sobre o tema de : 1) é um sistema jurídico transnacional; 2) é uma ciência que permite unificar os distintos direitos ou antecipar a unificação (ou, ao menos, a homogeneização) inerente à evolução dos sistemas jurídicos, globalmente considerados; 3) é a ciência dos direitos estrangeiros; 4) é a ciência que permite melhorar a solução dos casos judiciais." E mais adiante: "Mas, assim o problema apenas se inverte, e são as expressões 'direitos nacionais' ou 'sistemas jurídicos' que não entendemos mais. O comparatista no sentido da proposição 1) se interessa pela hipótese de uma pluralidade simultânea de sistemas enquanto sistema único. Para que seu objeto seja interessante, ele tem que conservar os elementos dos sistemas múltiplos, tais como são tradicionalmente concebidos. Independentemente de como sejam tradicionalmente concebidos e quaisquer que sejam as diversas e importantes diferenças entre tais concepções, os diferentes sistemas jurídicos não são considerados como partes formando simultaneamente um sistema único (a não ser no sentido trivial, segundo o qual eles constituem elementos de um conjunto ou subsistemas de igual nível). Caberia, então, a esse comparatista apresentar a ontologia alternativa que permitiria que a proposição 1) fosse concebível (itálico nosso).*

Como anunciado, neste item será feita uma breve descrição comparativa entre as Constituições do Brasil e do Uruguai quanto à proteção da água, um dos elementos do Direito comparado.

A Constituição do Brasil e do Uruguai, enquanto elemento selecionado para uma análise parcial de Direito comparado será feita com amparo de doutrinas pontuais de Direito de cada um dos países, o que pode ser complementado em próximas etapas de pesquisa (vide item 3).

A escolha do elemento Constituição, enquanto norma jurídica hierarquicamente superior de um País, é especialização do Direito constitucional comparado.

Orione Dantas de Medeiros (2010: 315) explica o papel do Direito constitucional comparado na contemporaneidade, o qual pode-se dizer tem afinidade com os propósitos de compartilhamento da governança global:

> *Cabe ao Direito Constitucional Comparado, como ramo do Direito Comparado, apresentar-se como um dos elementos desse universalismo, tentando ajudar na compreensão dessa complexidade, de uma realidade cada vez mais cambiante, em um contexto de desenvolvimento científico e tecnológico, representado pelo surgimento e difusão em escala global da comunicação, via Internet, que torna as relações da vida nacional e internacional cada vez mais próximas e mais complexas, em sua multiplicidade de direitos, facilitando recepções legislativas para solução de problemas semelhantes.*

As análises de Direito constitucional comparado quanto ao aspecto da proteção da água têm relevância pela repercussão em atos internacionais e tratados bilaterais (Brasil e Uruguai) ou multilaterais, estes próprios da governança global. Essa repercussão se dá quanto à recepção interna de um regime externo de maneira mais harmônica e capaz de produzir resultados na realidade.

Orione Dantas de Medeiros (2010: 319) discorre sobre as funções do Direito Comparado e a recepção legislativa, o que operacionaliza a governança global:

> *O Direito Comparado possui funções próprias e específicas. As suas finalidades, segundo Paolo Biscaretti di Ruffia (1975, pp. 13-15 como citado em Dantas, 2009), podem ser agrupadas em quatro: na satisfação de meras exigências de ordem cultural; na interpretação e valorização das instituições jurídicas do ordenamento nacional; na notável aportação que a ciência do direito constitucional pode proporcionar ao campo da "nomotética", isto é, em relação com a política legislativa; e na unificação legislativa.*

Do mesmo modo, a ausência de normas jurídicas constitucionais, evidenciadas pela análise de elementos do Direito constitucional comparado, permite a formulação de diretrizes que aprimorem a governança global em águas transfronteiriças quanto a lacunas regulatórias.

Com essas considerações, veja-se o texto dos principais dispositivos constitucionais do Brasil e do Uruguai quanto à proteção do meio ambiente no quadro 01:

Quadro 01 – Principais dispositivos sobre meio ambiente das Constituições do Brasil e do Uruguai

Constituição Brasileira	Constituição Uruguaia (tradução própria)
Art. 225. Todos têm direito ao meio ambiente ecologicamente equilibrado, bem de uso comum do povo e essencial à sadia qualidade de vida, impondo-se ao Poder Público e à coletividade o dever de defendê-lo e preservá-lo para as presentes e futuras gerações. § 1º Para assegurar a efetividade desse direito, incumbe ao Poder Público:	Artigo 47- A proteção do meio ambiente é de interesse geral. As pessoas devem abster-se de qualquer ato que cause séria depredação, destruição ou contaminação do meio ambiente. A lei irá regular esta disposição e pode prever sanções para os infratores. A água é um recurso natural essencial para a vida.

I - preservar e restaurar os processos ecológicos essenciais e prover o manejo ecológico das espécies e ecossistemas; II - preservar a diversidade e a integridade do patrimônio genético do País e fiscalizar as entidades dedicadas à pesquisa e manipulação de material genético; III - definir, em todas as unidades da Federação, espaços territoriais e seus componentes a serem especialmente protegidos, sendo a alteração e a supressão permitidas somente através de lei, vedada qualquer utilização que comprometa a integridade dos atributos que justifiquem sua proteção; IV - exigir, na forma da lei, para instalação de obra ou atividade potencialmente causadora de significativa degradação do meio ambiente, estudo prévio de impacto ambiental, a que se dará publicidade; V - controlar a produção, a comercialização e o emprego de técnicas, métodos e substâncias que comportem risco para a vida, a qualidade de vida e o meio ambiente; VI - promover a educação ambiental em todos os níveis de ensino e a conscientização pública para a preservação do meio ambiente; VII - proteger a fauna e a flora, vedadas, na forma da lei, as práticas que coloquem em risco sua função ecológica, provoquem a extinção de espécies ou submetam os animais a crueldade. § 2º Aquele que explorar recursos minerais fica obrigado a recuperar o meio ambiente	O acesso à água potável e ao saneamento são direitos humanos fundamentais. 1) A política nacional de água e saneamento será baseada em: a) o ordenamento do território, a conservação e protecção do meio ambiente e a recuperação da natureza. b) a gestão sustentável, solidária com as gerações futuras, dos recursos hídricos e a preservação do ciclo hidrológico, que são questões de interesse geral. Os usuários e a sociedade civil participarão de todos os níveis de planejamento, gestão e controle dos recursos hídricos; estabelecendo as bacias hidrográficas como unidades básicas. c) o estabelecimento de prioridades para o uso da água por regiões, bacias ou partes delas, sendo a primeira o abastecimento prioritário de água potável às populações. d) o princípio pelo qual a prestação dos serviços de água potável e saneamento deve ser realizada priorizando as razões sociais antes das econômicas. Qualquer autorização, concessão ou permissão que de alguma forma viole as disposições anteriores deve ser revogada. 2) As águas superficiais, assim como as subterrâneas, com exceção das pluviais, integradas no ciclo hidrológico, constituem um recurso unitário, subordinado ao interesse geral, que faz parte do domínio público estadual, enquanto domínio público das águas.

degradado, de acordo com solução técnica exigida pelo órgão público competente, na forma da lei. § 3º As condutas e atividades consideradas lesivas ao meio ambiente sujeitarão os infratores, pessoas físicas ou jurídicas, a sanções penais e administrativas, independentemente da obrigação de reparar os danos causados. § 4º A Floresta Amazônica brasileira, a Mata Atlântica, a Serra do Mar, o Pantanal Mato-Grossense e a Zona Costeira são patrimônio nacional, e sua utilização far-se-á, na forma da lei, dentro de condições que assegurem a preservação do meio ambiente, inclusive quanto ao uso dos recursos naturais. § 5º São indisponíveis as terras devolutas ou arrecadadas pelos Estados, por ações discriminatórias, necessárias à proteção dos ecossistemas naturais. § 6º As usinas que operem com reator nuclear deverão ter sua localização definida em lei federal, sem o que não poderão ser instaladas. § 7º Para fins do disposto na parte final do inciso VII do § 1º deste artigo, não se consideram cruéis as práticas desportivas que utilizem animais, desde que sejam manifestações culturais, conforme o § 1º do art. 215 desta Constituição Federal, registradas como bem de natureza imaterial integrante do patrimônio cultural brasileiro, devendo ser regulamentadas por lei específica que assegure o bem-estar dos animais envolvidos. (Incluído pela Emenda Constitucional nº 96, de 2017)	3) O serviço público de esgotamento sanitário e o serviço público de abastecimento de água para consumo humano serão prestados exclusiva e diretamente por pessoas jurídicas estaduais. 4) A lei, por três quintos dos votos do número total de membros de cada Câmara, pode autorizar o abastecimento de água a outro país, quando esta estiver esgotada e por motivos de solidariedade.

Fonte: elaborado pela autora com base em Brasil (1988) e Rep. O. del Uruguay (1967)

Pelo quadro 01 é possível perceber algumas semelhanças e diferenças mais evidentes como o meio ambiente relacionar-se a todos - "Todos têm direito ao meio ambiente ecologicamente equilibrado [...]", segundo a Constituição federal de 1988 e "A proteção do meio ambiente ser de interesse geral [...]", conforme a Constituição do Uruguai de 1967 – e não haver dispositivos constitucionais Brasileiros explicitamente sobre "água" ou "recursos hídricos", abundante na Constituição Uruguaia. Ambas as Constituições fazem referência às "futuras gerações", segundo a Constituição federal de 1988, ou "gerações futuras", conforme a Constituição do Uruguai de 1967. O peso do texto escrito dessas Constituições advém do positivismo próprio da América Latina.

É o que concluíram Luis Oliverio Cañarte Mantuano, Jacqueline Maria Lastenia Chiriboga Davalos, José Enrique Chávez Castillo e Gladys Maria Cedeño Delgado (2019)[3] quando analisaram o surgimento da centralização do poder em países com abordagem federalista ou regionalista que ameaçava a estabilidade nacional:

> *En esta recepción del modelo español se evidencia la influencia del derecho europeo en las culturas jurídicas locales que todavía no se habían liberado completamente del trauma de la dependencia colonial. Esta influencia de las ideas españolas, coincidió quizá azarosamente con la emergencia de la centralización del poder en países con enfoque federalista o regionalista que amenazaban la estabilidad nacional. Aunado a ello, en la cultura general, "las corrientes del positivismo científico de finales del siglo XIX estuvieron también relacionadas con el renacimiento del*

---

[3] MANTUANO, Luis Oliverio Cañarte, DAVALOS, Jacqueline Maria Lastenia Chiriboga, CASTILLO, José Enrique Chávez, DELGADO, Gladys Maria Cedeño. *La influencia de la concepción franco-hispana de la Jurisprudencia en Latinoamérica. Iustitia Socialis*. Revista Arbitrada de Ciencias Jurídicas. Año IV. Vol. IV. N°7. Julio – Diciembre 2019. Hecho el depósito de Ley: FA2016000064. ISSN: 2542-3371. FUNDACIÓN KOINONIA (F.K). Santa Ana de Coro, Venezuela. Disponível em: <https://capes-primo.ezl.periodicos.capes.gov.br>. Acesso em: 19 mai.2021, p. 177.

valor de la jurisprudencia, a la que le daba la estatura de doctrina científica en el campo del derecho.

Quanto ao objeto específico da análise pretendida nesse artigo (recursos hídricos) tem-se o destaque dos seguintes dispositivos no quadro 02:

Quadro 02 – Principais dispositivos sobre águas das Constituições do Brasil e do Uruguai

Constituição Brasileira	Constituição Uruguaia (tradução própria)
Art, 225 [...] § 2º Aquele que explorar recursos minerais fica obrigado a recuperar o meio ambiente degradado, de acordo com solução técnica exigida pelo órgão público competente, na forma da lei. [...] § 4º A Floresta Amazônica brasileira, a Mata Atlântica, a Serra do Mar, o Pantanal Mato-Grossense e a Zona Costeira são patrimônio nacional, e sua utilização far-se-á, na forma da lei, dentro de condições que assegurem a preservação do meio ambiente, inclusive quanto ao uso dos recursos naturais.	Artigo 47. [...] A água é um recurso natural essencial para a vida. O acesso à água potável e ao saneamento são direitos humanos fundamentais. 1) A política nacional de água e saneamento será baseada em: [...] b) a gestão sustentável, solidária com as gerações futuras, dos recursos hídricos e a preservação do ciclo hidrológico, que são questões de interesse geral. Os usuários e a sociedade civil participarão de todos os níveis de planejamento, gestão e controle dos recursos hídricos; estabelecendo as bacias hidrográficas como unidades básicas. c) o estabelecimento de prioridades para o uso da água por regiões, bacias ou partes delas, sendo a primeira o abastecimento prioritário de água potável às populações. d) o princípio pelo qual a prestação dos serviços de água potável e saneamento deve ser realizada priorizando as razões sociais antes das econômicas.

	Qualquer autorização, concessão ou permissão que de alguma forma viole as disposições anteriores deve ser revogada. 2) As águas superficiais, assim como as subterrâneas, com exceção das pluviais, integradas no ciclo hidrológico, constituem um recurso unitário, subordinado ao interesse geral, que faz parte do domínio público estadual, enquanto domínio público hidráulico. 3) O serviço público de esgotamento sanitário e o serviço público de abastecimento de água para consumo humano serão prestados exclusiva e diretamente por pessoas jurídicas estaduais. 4) A lei, por três quintos dos votos do número total de membros de cada Câmara, pode autorizar o abastecimento de água a outro país, quando esta estiver esgotada e por motivos de solidariedade.

Fonte: elaborado pela autora com base em Brasil (1988) e Rep. O. del Uruguay (1967)

Pelo quadro 02 é possível perceber, quanto à proteção da água, algumas semelhanças e diferenças mais evidentes como: dispositivos implícitos da Constituição federal de 1988 sobre recursos hídricos e dispositivos explícitos da Constituição do Uruguai de 1967 sobre recursos hídricos.

Embora não possua dispositivos explícitos sobre águas no artigo 225 dessa Constituição federal de 1988, não se pode interpretar essa Constituição como não protetora dos corpos hídricos.

Isso porque existem diversos artigos[4] nesse texto constitucional Brasileiro que põem os recursos hídricos como sendo bens ambientais de domínio público geridos sob política específica, ora incorporados à propriedade privada.

Um exemplo da aplicação desse espírito normativo, é a impossibilidade jurídica de proibir o uso único das águas para irrigação de grande lavoura, com exclusão do uso de parte do volume disponível (respeitada a vazão ecológica) para dessedentação de pequena criação de animais.

Essa relativa segurança jurídica de não se ter águas privadas no Brasil, advém da dominialidade pública constitucional dos recursos hídricos e da revogação implícita do Código das Águas do Brasil (1934) pela Lei de Política nacional de recursos hídricos do Brasil (1997), o qual regia os corpos hídricos brasileiros no Século XX de maneira ajustada ao Código Civil da época, que não reconhecia a função social da propriedade privada.

Essa função social foi positivada também pela Constituição federal de 1988, que ao somar-se à dominialidade pública das águas, conferiu maior proteção jurídica aos corpos hídricos.

A função social das águas em geral, ou dos corpos hídricos em propriedade pública ou privada da Constituição federal de 1988 (artigo 185), significa a relativização dos elementos-direitos que compõe o conjunto-direito de propriedade, quais sejam, *jus utendi*, *jus fruendi* e *jus abutendi*, na clássica doutrina civilista Brasileira.

Em outras palavras, não é possível porque incoerente eticamente, valer-se do direito de propriedade sem considerar as implicações nas relações bem próprio-bem de outrem ou bem próprio-sujeito outrem, com suas possibilidades de benefícios e prejuízos.

---

[4]Artigo 20, sobre os bens da União, e artigo 26, sobre os bens dos Estados federados.

Lembre-se que o direito natural tem bases na autoconservação (física e intelectual), na perpetuação da espécie, no conhecimento da verdade e no estabelecimento de amizades; e os direitos jurídicos advém dessas bases, nos ensinamos do professor Frederico Bonaldo (2021: sem paginação). O direito de acesso a água de qualidade, advindo da Lei de política nacional de recursos hídricos do Brasil (1997), aproxima-se desse fundamento aristotélico na mediada em que permite a continuidade da vida.

A fundamentação no jusnaturalismo - embora a primeira vista possa descontruir o convencimento até então eventualmente feito por se tratar de uma teoria em desuso -, com uma percepção mais aprofundada, pode implicar em bases mais robustas, sobretudo diante da perda de credibilidade do positivismo pela falta mesmo de efetividade desse quanto à soluções para os problemas jurídicos; e diante de certa incoerência do neoconstitucionalismo, que é sensato ao ponderar diretos e desprovido de razões ao optar por um desses, sem justificativa plausível. Por isso mesmo, autores como Carlos I. Massini Correas (2005) – e outros como John Finnis (*Natural law and natural rights*) e Javier Hervada *(Introducción critica al derecho natural*) - tem revisitado autores clássicos como Aristóteles para contemporaneizar suas ideias, nas quais nos valemos na forma adiante exposta.

Avançando-se na comparação das Constituições do Brasil e do Uruguai, especificamente quando à proteção dos corpos d'água transfronteiriços, tem-se que são facilitadores da cooperação nas relações internacionais os seguintes aspectos expostos no quadro 03:

Quadro 03 – Principais dispositivos sobre proteção dos corpos d'água transfronteiriços das Constituições do Brasil e do Uruguai

Constituição Brasileira	Constituição Uruguaia (tradução própria)
-	4) A lei, por três quintos dos votos do número total de membros de cada Câmara, pode autorizar o abastecimento de água a outro país, quando esta estiver esgotada e por motivos de solidariedade.

Fonte: elaborado pela autora com base em Brasil (1988) e Rep. O. del Uruguay (1967)

Pelo quadro 03 é possível perceber que a Constituição do Uruguai de 1967 tem dispositivo explícito sobre o proceder nas relações internacionais em caso de escassez de água em outro País (Brasil ou Argentina, por exemplo, que fazem fronteira com o Uruguai).

Diante do exposto, como breve descrição comparativa entre as Constituições do Brasil e do Uruguai quanto à proteção dos corpos d'água transfronteiriços a partir de elementos do Direito comparado, tem-se que há regulação sobre abastecimento de água do Uruguai a outro país quando esta estiver esgotada e por motivos de solidariedade.

2.2. Implicações na governança global em águas transfronteiriças a partir de elementos específicos do Direito constitucional comparado

Nesse item, buscar-se-á explorar diretrizes de melhoria na governança global em águas transfronteiriças a partir de uma breve descrição comparativa entre as Constituições do Brasil e do Uruguai quanto à proteção da água a partir de elementos do Direito comparado.

Detalhada no item 2.1, a breve descrição comparativa entre as Constituições do Brasil e do Uruguai quanto à proteção dos corpos d'água transfronteiriços a partir de elementos do Direito comparado demonstrou o aspecto da existência de regulação sobre abastecimento de água do Uruguai a outro país quando esta estiver esgotada e por motivos de solidariedade[5], a qual pode-se caracterizar como compartilhamento e observância das necessidades das gerações futuras.

Pamela S. Chasek, David L. Downie, Janet W. Brown (2016: 1-49) tratam com atenção a questão da escassez de recursos e como isso se torna mais sensível em circunstâncias de mudanças climáticas e segurança globais; sendo que indicam como solução a prevenção, diretriz de conduta para os Países e o sistema produtivo:

> *O paradigma de segurança ambiental implica que a degradação do meio ambiente e o esgotamento dos recursos podem afetar a segurança nacional. A ideia central é que a mudança do clima, o esgotamento dos recursos e os atos de degradação ambiental como ameaça multiplicam e aumentam outras condições conhecidas da causa da violência entre grupos opositores dentro do Estado ou até dentro dos Estados. Como argumentado por Dixon, que ajudou como pioneiro no nosso entendimento dessas questões, a escassez de recursos, o colapso de ecossistemas e outros problemas ambientais podem atuar como um estresse tectônico, exacerbando a existência política, social e econômica de instabilidades para o ponto do conflito*

[5]Tomás de Aquino trata da questão da prodigalidade em "três artigos" (ou questões filosóficas) na "questão 119" da "Suma Teológica VI – justiça, religião e virtudes sociais". (Aquino, 2005, p. 682) Trouxe-se aqui uma nota da tradução francesa de 1984 porque esclarece o conceito usado por Aquino ainda pertinente na contemporaneidade quanto à governança global fundada no compartilhamento e no respeito às gerações futuras: "a. A prodigalidade é encarada aqui como vício oposto, por excesso, à liberalidade, como a avareza o é por falta. A prodigalidade é caracterizada: como descuido em relação aos bens úteis, dos quais ela negligencia a aquisição, a manutenção e a gestão rentável, e como seu desperdício imoderado e irracional (doutrina condensada no a. 1, Solução). Uma tal análise é conduzida no quadro rigoroso de uma ética pessoal das virtudes. Ela só poderia revelar todas suas virtualidades no plano de uma ética social, atenta aos problemas levantados pelo 'consumo' ilimitado dos bens, pelo desperdício de recursos sobretudo os não-renováveis e abrindo-se às perspectivas de uma solidariedade com toda a humanidade, no presente e no futuro".

> *armado real. A degradação ambiental pode contribuir com o incremento do impacto de outros problemas conhecidos, para contribuir com a violência dentro do ou entre Estados, tal como a disputa por recursos, o movimento dos refugiados, a pobreza, fome e governos fracos.*

E mais adiante sustentam a prevenção como solução para a escassez Pamela S. Chasek, David L. Downie, Janet W. Brown (2016: 1-49) (tradução própria):

> *4.4) O princípio da precaução - um novo paradigma e a política ambiental: O paradigma de exclusão implica que a política de economia calcula necessidades e não fatos em segurança de recursos e degradação ambiental. Se a escassez dos recursos começa a ocorrer, o comércio responderá com a subida de preços, que reduzirá a demanda e espalhará a busca por substitutos, deste modo evitando a crise. Similarmente, não há a necessidade de considerar ou tomar passos para evitar problemas ambientais antes de eles ocorrerem, como esses podem ser regulados antes dos fatos se é a demanda de mercado. A globalização do paradigma argui que as prioridades devem estar localizadas nas políticas que aceleram a economia e o crescimento da economia global e como isso providencia os recursos para proteção ambiental.*

Como um breve panorama das demandas relativas à água entre o Brasil e o Uruguai, tem-se a incompletude do plano da Bacia do Rio Quaraí (2020: 33-38), da Secretaria de Meio Ambiente e Infraestrutura do Rio Grande do Sul no Brasil [SMAI/RGS], dentre outras, que delimita parte da fronteira Brasil e Uruguai.

O relatório da Bacia do Rio Quaraí (2021: 33), da SMAI/RGS, define plano de bacia hidrográfica como "[...] documento programático para a bacia, contendo as diretrizes de usos dos recursos hídricos e as medidas correlatas. Em outras palavras é a agenda de recursos hídricos da bacia", sendo a Agência ou Órgão gestor correspondente o responsável pela elaboração e o Comitês de Gerenciamento de Bacia Hidrográfica o responsável pela aprovação.

Fundado nesse conceito básico de política de recursos hídricos, o Governo Brasileiro tem estudado a melhor forma de gerenciar as águas fronteiriças e transfronteiriças, inclusive pela evolução histórica dos tratados na América do Sul, dentre outros, o acordo de cooperação do Rio Quaraí. Como exposto no referido estudo "Água e Desenvolvimento Sustentável, Recursos Hídricos Fronteiriços e Transfronteiriços do Brasil" do Governo Federal do Brasil (2013: 71, 108-109), o compartilhamento dos recursos hídricos transfronteiriços da Bacia do Quaraí é "[...] um tratado moderno, contemporâneo dos novos princípios de direito ambiental que se consolidavam no período, e dispõe de instrumentos necessários para promover a gestão integrada de recursos hídricos":

> *Resumidamente, pode-se dizer que o Ajuste Complementar deu mais feições de acordo de gestão para o tratado que rege o compartilhamento dos recursos hídricos transfronteiriços da Bacia do Quaraí – em linha com os fundamentos da Lei 9.433/1997, que tinha sido aprovada em janeiro do mesmo ano. Além de um aprofundamento nas medidas de integração entre as autoridades nacionais brasileira e uruguaia quanto à gestão destas águas, as ações contemplam: monitoramento, instalação de estações telemétricas, pesquisa, gerenciamento e autorização e fiscalização dos usos de recursos hídricos. Trata-se de um cardápio que deve constar no horizonte da implementação de outros tratados.*

Para ilustrar as interseções de políticas públicas de águas fronteiriças e transfronteiriça entre Brasil e Uruguai, veja-se os mapas das Figuras 01 (IBGE, 2021) e 02, do Instituto Brasileiro de Geografia e Estatística do Brasil [IBGE] (2021) abaixo:

Figura 01 – Mapa da América do Sul

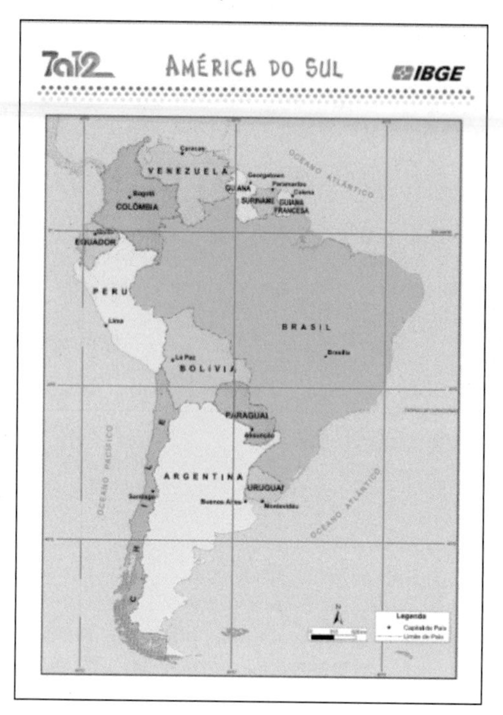

Fonte: IBGE – Instituto brasileiro de geografia e estatística

Além da fronteira com o Brasil, o Uruguai também tem divisa com a Argentina, sendo que este artigo se limita a analisar o tema sob a perspectiva das relações com o Brasil.

Combinado o Mapa da América Latina da Figura 01 com o Mapa da Figura 02 (IBGE, 2021a) do IBGE (2021) a seguir, é possível observar melhor, além da fronteira Brasil e Uruguai, a área de influência de um dos corpos hídricos relevantes da região, que é o Rio Uruguai:

Figura 02 – Mapa das regiões hidrográficas Brasileiras

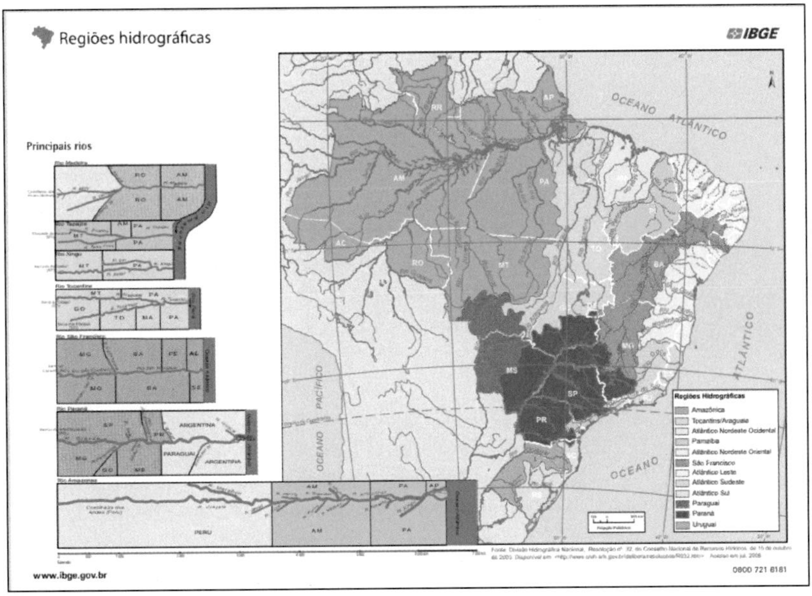

Fonte: IBGE, 2021.

Diante desse cenário, e da descrição feita nesse item, pode-se explorar as seguintes diretrizes de melhoria na governança global em águas transfronteiriças:

a) reciprocidade de ação do Brasil para com outros países fronteiriços em situações de escassez de água e por solidariedade; e

b) planejamento conjunto da gestão dos corpos d'água transfronteiriços quanto aos aspectos quantitativos e qualitativos, em construção ao longo da história.

Essas diretrizes são reforçadas pela análise de V. S. Radovich (2016: 7-8), que tem interessante observação sobre o regulamento de proteção ambiental dos recursos aquáticos na mesma área geográfica do MERCOSUL – Mercado comum do Sul, referência base para o estudo de regimes internacionais com vistas a governança global. Dentre outros, destaquem-se:

> *Los cuatros Estados miembros originarios del MERCOSUR están surcados por la Cuenca del Plata, una de las cuencas hidrográficas transfronterizas más importantes del mundo y la segunda en importancia del continente americano. [...]. Los siguientes son los convenios regionales aplicables en la Cuenca del Plata que regulan sobre la protección de los recursos acuáticos: 1) Convenio de Cooperación entre Argentina y Uruguay para prevenir y luchar contra incidentes de contaminación del medio acuático producidos por Hidrocarburos y sustancias perjudiciales [...] 4) Tratado de la Cuenca del Plata, 1969. Sus signatarios son Argentina, Bolivia, Brasil, Paraguay, Uruguay. Su principal objetivo es promover el desarrollo armónico y la integración física de la Cuenca, así como de sus áreas de influencia directa y ponderable (art. 1). A pesar del año en que fue negociado, ya consagraba el principio de responsabilidad intergeneracional. A tal fin los Estados Parte se comprometen, entre varios otros objetivos, a preservar y fomentar la vida animal y vegetal de la cuenca (art. 1. c) y desarrollar acciones colectivas dentro del respeto al derecho internacional y según la buena práctica entre naciones vecinas y amigas (art. 5). [...] 6) Tratado del Río Uruguay, 1975. Se trata de otro convenio negociado entre Argentina y Uruguay que contiene normas sobre contaminación en los artículos 40 a 43, muy similares a las del Tratado anterior.*

Diante do exposto, as diretrizes de melhoria na governança global em águas transfronteiriças a partir de uma breve descrição comparativa entre as Constituições do Brasil e do Uruguai quanto à proteção da água são reciprocidade de ações em circunstâncias de escassez e planejamento conjuntos de aspectos quantitativos e qualitativos dos recursos hídricos transfronteiriços.

Conclusões

Diante do exposto, para o problema de pesquisa e a hipótese, conclui-se que:

a) Como breve descrição comparativa entre as Constituições do Brasil e do Uruguai quanto à proteção dos corpos d'água transfronteiriços a partir de elementos do Direito comparado, tem-se que há regulação sobre abastecimento de água do Uruguai a outro país quando esta estiver esgotada e por motivos de solidariedade; e

b) as diretrizes de melhoria na governança global em águas transfronteiriças a partir de uma breve descrição comparativa entre as Constituições do Brasil e do Uruguai quanto à proteção da água e de elementos do Direito comparado são a reciprocidade de ação do Brasil para com outros países fronteiriços em situações de escassez de água e por solidariedade e o planejamento conjunto da gestão dos corpos d'água transfronteiriços quanto aos aspectos quantitativos e qualitativos.

Como continuidade desse estudo, propõe-se para as próximas etapas da pesquisa:

a) Estudos de Direito comparado com o elemento jurisprudência dos Tribunais Superiores do Brasil e do Uruguai e de cortes internacionais sobre recursos hídricos transfronteiriços;

b) estudos de Direito comparado com o elemento história do Brasil e do Uruguai relacionada às suas águas transfronteiriças;

c) estudos de Direito comparado com o elemento normas jurídicas infraconstitucionais do Brasil e do Uruguai sobre recursos hídricos transfronteiriços;

d) estudos de Direito comparado com o elemento doutrina com variedade de referências do Direito do Brasil e do Uruguai sobre recursos hídricos transfronteiriços; e

e) estudos de Direito comparado com o elemento atos internacionais e tratados envolvendo o Brasil e o Uruguai quanto às águas transfronteiriças.

Referências

AQUINO, Tomás de. *Suma Teológica VI – justiça, religião e virtudes sociais, volume 6, II seção da II parte, questões 57 a 122*. Introdução e notas de Les Éditions du Cerf, Paris, 1984. 2ª edição: fevereiro de 2012. Ediçoes Loyola: São Paulo, Brasil, 2005.

BITTAR, Eduardo Carlos Bianca. *Metodologia da pesquisa jurídica: teoria e prática da monografia para os cursos de direito*. (14a ed.) - São Paulo: Saraiva, 2016.

BRASIL. Chefe do Governo Provisório da República dos Estados Unidos do Brasil. *Decreto nº 24.643, de 10 de julho de 1934*. Decreta o Código de Águas. Diário Oficial da União - Seção 1 - 20/7/1934, Página 14738. Disponível em: < https://www2.camara.leg.br/legin/fed/decret/1930-1939/decreto-24643-10-julho-1934-498122-norma-pe.html>. Acesso em: 16 julho.2021.

BRASIL, República federativa. *Constituição*. Promulgada em 5 de outubro de 1988. Disponível em: < http://www.planalto.gov.br/ccivil_03/constituicao/constituicao.htm>. Acesso em: 21 abril.2021.

BRASIL. *Lei nº 9.433, de 8 de janeiro de 1997*. Institui a Política Nacional de Recursos Hídricos, cria o Sistema Nacional de Gerenciamento de Recursos Hídricos, regulamenta o inciso XIX do art. 21 da Constituição Federal, e altera o art. 1º da Lei nº 8.001, de 13 de março de 1990, que modificou a Lei nº 7.990, de 28 de dezembro de 1989. Publicado no Diário oficial da União de 9.1.1997. Disponível em <http://www.planalto.gov.br/ccivil_03/leis/l9433.htm>. Acesso em: nov.2020.

BRASIL, Governo Federal, Presidência da República, Secretaria de Assuntos Estratégicos. *Água e Desenvolvimento Sustentável, Recursos Hídricos Fronteiriços e Transfronteiriços do Brasil*. Brasília, maio de 2013. Disponível em: <http://estatico.cnpq.br/portal/premios/2013/pjc/imagens/noticias/publicacao_agua_sae.pdf>. Acesso em: 16 julho.2021.

BONALDO, Frederico. Apostila da disciplina Teoria da justiça, Doutorado em Direito ambiental internacional da Universidade Católica de Santos. Ano 2021. Arquivo pessoal.

CHASEK, Pamela S., DOWNIE, David L., BROWN, Janet W. *The emergence of global environmental politics. In*. Global Environmental Politics. Seventh Editions. Dilemas in world politics. Boulder: Westview Press, 2016.

CORREAS, Carlos I. Massini. *Filosofía Del Derecho, tomo II: La justicia*. – 1ª ed. – Buenos Aires: Lexis Nexis Argentina, 2005.

FRANÇA, Noemi Lemos. *Efetividade do direito à água no transporte rodoviário de cargas perigosas e nas rodovias concedidas*. Dissertação (Mestrado) – Faculdade de Direito / Programa de Pós-Graduação em Direito - Universidade Metodista de Piracicaba. Orientador: Dr. José Fernando Vidal de Souza. – Piracicaba, SP: [s. n.], 2013.

GIL, Antônio Carlos. *Como elaborar projetos de pesquisa*. (4a ed.) São Paulo: Atlas, 2002.

HELD, David e McGREW, Anthony. *Prós e Contras da Globalização*. Rio de Janeiro: Zahar, 2001.

IBGE – Instituto Brasileiro de Geografia e Estatística. *Mapa da América do Sul*. Disponível em: <https://geoftp.ibge.gov.br/produtos_educacionais/mapas_tematicos/mapas_do_mundo/politico/america_sul_pol.pdf>. Acesso em: 16 julho.2021.

IBGE – Instituto Brasileiro de Geografia e Estatística. *Mapa das Regiões Hidrográficas [do Brasil]*. Disponível em: < https://geoftp.ibge.gov.br/produtos_educacionais/atlas_educacionais/atlas_geografico_escolar/mapas_do_brasil/mapas_nacionais/informacoes_ambientais/brasil_bacias.pdf>. Acesso em: 16 julho.2021a.

MANTUANO, Luis Oliverio Cañarte, DAVALOS, Jacqueline Maria Lastenia Chiriboga, CASTILLO, José Enrique Chávez, DELGADO, Gladys Maria Cedeño. *La influencia de la concepción franco-hispana de la Jurisprudencia en Latinoamérica*. Iustitia Socialis. Revista Arbitrada de Ciencias Jurídicas. Año IV. Vol. IV. N°7. Julio – Diciembre 2019. Hecho el depósito de Ley: FA2016000064. ISSN: 2542-3371. FUNDACIÓN KOINONIA (F.K). Santa Ana de Coro, Venezuela. Disponível em: <La influencia de la concepción franco-hispana de la Jurisprudencia en Latinoamérica | Cañarte Mantuano | IUSTITIA SOCIALIS (fundacionkoinonia.com.ve)>. Acesso em: 19 mai.2021. [DOI: http://dx.doi.org/10.35381/racji.v4i7.391].

MEDEIROS, Orione Dantas de. *Direito Constitucional Comparado* - Breves aspectos epistemológicos. Brasília a. 47 n. 188 outubro/dezembro. 2010. Disponível em: <http://arthurguerra.com.br/wp-content/uploads/2018/11/Fami%CC%81lias-Constitucionais.pdf>. Acesso em: 18 mai. 2021.

NESS, Arne. *La crises del médio ambiente y el movimento ecológico profundo* / VALDÉS, Margarida M., compiladora. *Naturaleza y valor: uma aproximación a la ética ambiental*. México, D.F.: UNAM, Instituto de Investigaciones Filosóficas, 2004.

PFERSMANN, Otto. *O direito comparado como interpretação e como teoria do direito*. Tradução de Heloïse Pandelon. Teoria jurídica contemporânea 2:2, julho-dezembro 2017. PPGD/UFRJ. ISSN 2526-0464, p. 251-269. Disponível em: <O direito comparado como interpretação e como teoria do direito | Pandelon | Teoria Jurídica Contemporânea (ufrj.br) >. Acesso em: 19 mai.2021. [DOI: https://doi.org/10.21875/tjc.v2i2.13920].

RADOVICH, V. S. (2016). Reflexões sobre el rol del Mercosul en la protección ambiental de los recursos acuáticos y marinos. Rev. Fac. Der. no.41 Montevideo dic. 2016. Disponível em: < http://www.scielo.edu.uy/scielo.php?script=sci_arttext&pid=S2301-06652016000200010>. Acesso em: 02 fev.2022. [DOI: https://doi.org/10.22187/rfd2016210].

REPÚBLICA ORIENTAL DEL URUGUAY. *Constitución 1967* con las modificaciones plebiscitadas el 26 de noviembre de 1989, el 26 de noviembre de 1994, el 8 de diciembre de 1996 y el 31 de octubre de 2004. Disponível em: < https://parlamento.gub.uy/documentosyleyes/constitucion>. Acesso em: 16 mai.2021.

RIO GRANDE DO SUL. Secretário do Meio Ambiente e Infraestrutura, Departamento de Gestão de Recursos Hídricos e Saneamento. *Relatório anual sobre a situação dos recursos hídricos 2020*. Publicação: fevereiro de 2021. Disponível em: <https://drive.google.com/file/d/1qpWgwewjLRq7u0zfPsJDJjyKjT7PLxut/view>. Acesso em: 16 mai. 2021.

TAVARES, Ana Lucia de Lyra. *O ensino do direito comparado no Brasil contemporâneo*. Direito, Estado e Sociedade - v.9 - n. 29 - p 69 a 86 - jul/dez 2006. Disponível em: < http://direitoestadosociedade.jur.puc-rio.br/media/Lyra_n29.pdf> Acesso em: 18 mai. 2021.

WEISS, Edith Brown. *Intergenerational equity: a legal framework for global environmental change, Chapter 12*. *In*: Environmental change and international law: New challenges and dimensions. Tokyo: United Nations University Press, 1992.

ENERGIA RENOVÁVEL: OS GANHOS E OS IMPACTOS AMBIENTAIS DA ENERGIA SOLAR

Ronilton Pereira Lins [1]*

Introdução

O desafio da energia elétrica é um tema de soberania nacional, capaz de provocar guerra quanto à paz entre as nações e os povos de um território. Atrela-se ainda que o acesso à energia elétrica consta inegavelmente nas necessidades básicas que compõe a vida do homem na atualidade, pois o acesso a saúde, a educação, a alimentação, que são direitos assegurados no art. 5º da CF, dependem, sem dúvidas, da geração da energia elétrica (PES; ROSA, 2011).

Com a escassez dos recursos naturais e as mudanças climáticas, a energia renovável surge como uma alternativa para reduzir os custos da tarifa atual, impactando de forma positiva na crise ambiental que assola o mundo (BERMANN, 2007). Nesse sentido, surge a necessidade da implantação de energias consideradas renováveis, com destaque para aquelas que permitam um menor impacto ao meio ambiente e a sociedade.

O Brasil possui um potencial diferenciado em relação aos outros países, a começar por sua extensão territorial e sua imensa biodiversidade, permitindo, assim, a geração de energia elétrica por vários meios, incluindo as usinas

---

[1] * **Ronilton Pereira Lins**:
-Advogado, atuou como Procurador da Sudema (2013-1019).
-Especialista em Direito Ambiental, Especialista em Direito Médico.
-Mestrando em Direito Ambiental

hidrelétricas, bem como se utiliza as fontes de energia alternativa como à biomassa, para a produção de combustíveis renováveis, como o álcool, o biodiesel e mais recentemente, o H-bio (AGRONEGÓCIOS, 2006). Permitindo, assim entender a definição de sustentabilidade e a importância para o meio ambiente, em que todos devem ter um único interesse em preservar o ecossistema brasileiro, propiciando uma vida melhor à população (BRANDÃO et al., 2015).

Nesse diapasão, através desse artigo, pretendemos analisar os principais tipos de energias renováveis, assim como, seus impactos positivos e negativos, ressaltando a importância da implementação dessas energias renováveis no país, com informações com melhores possibilidades de divulgação à população.

1. Energias Renováveis

A Constituição Federal do Brasil de 1988 trata em seu Capítulo VI do MEIO AMBIENTE, em especial o art. 225, apresentando como ponto chave para as discussões ambientais, sugerindo uma responsabilidade ética para com o futuro.

> *Art. 225. Todos têm direito ao meio ambiente ecologicamente equilibrado, bem de uso comum do povo e essencial à sadia qualidade de vida, impondo-se ao Poder Público e à coletividade o dever de defendê-lo e preservá-lo para as presentes e futuras gerações. § 1º Para assegurar a efetividade desse direito, incumbe ao Poder Público: I - preservar e restaurar os processos ecológicos essenciais e prover o manejo ecológico das espécies e ecossistemas; (Regulamento) II - preservar a diversidade e a integridade do patrimônio genético do país e fiscalizar as entidades dedicadas à pesquisa e manipulação de material genético; (Regulamento) III - definir, em todas as unidades da Federação, espaços territoriais e seus componentes a serem especialmente protegidos, sendo a alteração e a supressão permitidas somente através de lei, vedada qualquer utilização que comprometa a integridade dos atributos que justifiquem sua proteção; (Regulamento) IV - exigir, na forma da lei, para instalação de obra ou atividade*

> *potencialmente causadora de significativa degradação do meio ambiente, estudo prévio de impacto ambiental, a que se dará publicidade; (Regulamento) V - controlar a produção, a comercialização e o emprego de técnicas, métodos e substâncias que comportem risco para a vida, a qualidade de vida e o meio ambiente; (Regulamento) VI - promover a educação ambiental em todos os níveis de ensino e a conscientização pública para a preservação do meio ambiente; VII - proteger a fauna e a flora, vedadas, na forma da lei, as práticas que coloquem em risco sua função ecológica, provoquem a extinção de espécies ou submetam os animais à crueldade. (Regulamento) § 2º Aquele que explorar recursos minerais fica obrigado a recuperar o meio ambiente degradado, de acordo com solução técnica exigida pelo órgão público competente, na forma da lei. § 3º As condutas e atividades consideradas lesivas ao meio ambiente sujeitarão os infratores, pessoas físicas ou jurídicas, a sanções penais e administrativas, independentemente da obrigação de reparar os danos causados. § 4º A Floresta Amazônica brasileira, a Mata Atlântica, a Serra do Mar, o Pantanal Mato-Grossense e a Zona Costeira são patrimônio nacional, e sua utilização far-se-á, na forma da lei, dentro de condições que assegurem a preservação do meio ambiente, inclusive quanto ao uso dos recursos naturais. (Regulamento) § 5º São indisponíveis as terras devolutas ou arrecadadas pelos Estados, por ações discriminatórias, necessárias à proteção dos ecossistemas naturais. § 6º As usinas que operem com reator nuclear deverão ter sua localização definida em lei federal, sem o que, não poderão ser instaladas (BRASIL, 1988).*

Surge a partir a necessidade de toda a coletividade se conscientizar com a preservação do meio ambiente para as gerações futuras e a importância de se manter os recursos naturais.

Sabemos que na atualidade o desmatamento da Amazônia nos assusta com os números, nunca antes visto, a poluição dos rios e mares já começa a trazer imenso prejuízo para a fauna e flora local.

Para a Agência Nacional de Energia Elétrica (ANEEL) considera para o

> *Grupo chamado "Outras Fontes" está abrigado o vento (energia eólica), sol (energia solar), mar, geotérmica (calor existente no interior da Terra), esgoto, lixo e dejetos animais, entre outros. Em comum elas têm o fato de serem renováveis e, portanto, corretas do ponto de vista ambiental. Permitem não só a diversificação, mas também a 'limpeza' da matriz energética local, ao reduzir a dependência dos combustíveis fósseis, como carvão e petróleo, cuja utilização é responsável pela emissão de grande parte dos gases que provocam o efeito estufa (ANEEL, 2008, p. 77).*

Atualmente, o Brasil apresenta 83% de sua matriz elétrica originada de fontes renováveis, e a sua participação é liderada pela hidrelétrica (63,8%), seguida da eólica (9,3%), biomassa e biogás (8,9%) e solar centralizada (1,4%) (ABIOGÁS, 2020).

No Brasil existe a resolução Normativa nº 482/2012, da ANEEL, que estabelece condições gerais para o acesso e microgeração e minigeração distribuída aos sistemas de distribuição de energia elétrica, visa a reduzir as barreiras regulatórias existentes para conexão de geração de pequeno porte disponível na rede de distribuição (BRASIL, 2012).

Foi publicada no Estado da Paraíba, a lei nº 1.0720 de 22/06/2016 que institui a política Estadual de Incentivo à Geração e Aproveitamento da Energia Solar e Eólica e dá outras providências.

> *Art. 1º Fica Instituída a Política Estadual de Incentivo à Geração e Aproveitamento da Energia Solar e Eólica, formulada e executada como forma de racionalizar o consumo de energia elétrica e outras fontes de energia do Estado da Paraíba (Paraíba, 2016).*

Assim, o Brasil é líder mundial no uso de fontes convencionais de energia renovável, tais como a energia hidrelétrica. Entretanto, em relação às fontes de energias renováveis não convencionais, ainda deve aprimorar três questões críticas: 1) regulamentar o quadro legal; 2) melhorar o planejamento de energia em longo prazo levando em consideração questões sociais, econômicas e climáticas; 3) as instituições atuais que apoiam as fontes de energias renováveis não convencionais devem ser atualizadas, assim como agências energéticas mais específicas, devem ser criadas. São fontes a ser pensadas como uma oportunidade estratégica para depender menos do combustível fóssil e das grandes usinas hidrelétricas, descentralizar o setor de energia elétrica, usar o enorme potencial de energia solar, eólica e da biomassa disponível no país e criando indústrias respeitadoras do meio ambiente (DE MELO et al., 2018).

A necessidade de o país em investir em energias renováveis é de fundamental importância devido à redução de petróleo e seu derivado. Esses tipos de energia vieram para ficar, sem olvidar que o nosso país destaca-se pelo potencial em energia hidráulica. Entretanto, a participação cada vez maior de energia renovável na matriz energética Brasileira e mundial mostra-se cada vez mais imprescindível para a promoção do desenvolvimento sustentável.

2. Principais Fontes de Energia Renováveis

As fontes de energia que pertencem ao grupo das renováveis são consideradas inesgotáveis, sendo chamadas de energias limpas, pois emitem menos gases de efeito estufa (GEE), que as fontes fósseis e, essa, é uma das razões que estão conseguindo uma boa inserção no mercado nacional e internacional.

Nesse sentido para ampliar o conhecimento dessa fonte de energia renovável apresentaremos algumas delas em seguida.

A energia solar também denominada por muitos de fotovoltaica pode ser definida através da conversão da radiação solar em eletricidade, se faz economicamente viável e menos agressiva ao meio ambiente. Com isso, as células fotovoltaicas apresentam preço alto, porém, barateiam o custeio de energia elétrica nas residências. Mesmo em dias chuvosos e nublados, elas conseguem captar os raios solares, assim como também conseguem atuar na energia termelétrica, armazenando energia elétrica (AGUILAR; OLIVEIRA; ARCANJO, 2012).

Em relação ao Brasil, notadamente na região do nordeste, a incidência solar é demasiadamente forte, sendo esse um dos motivos pela crescente procura por seu uso.

Segundo o Solar (2022), os maiores fabricantes mundiais de inversores são as empresas chinesas Sineng, Huawei e Sungrow. O mercado se energia solar na China aponta para um vertiginoso crescimento.

Em relação à energia eólica, o país apresenta um iminente crescimento dessa fonte de energia, assim como a solar, possui energia limpa, com a diferença que terá que existir um local específico para sua implantação.

Vários fatores influenciarão para a escolha de um local correto para a implantação de um parque eólico. A velocidade do vento é determinante na produção eólica, assim como as condições topográficas, que estão diretamente relacionadas a potência do vento. Terrenos uniformes ou não, a rugosidade do terreno, existência de montanhas, e as correntes locais e circulação, são fatores que influenciam a potência dos ventos (FRADE, 2000).

A energia hídrica caracteriza-se pelo aproveitamento da água para a geração de eletricidade, quando se trata de energia renovável, a produção de energia consiste no aproveitamento da água para a produção de eletricidade.

Queiroz et al., (2013) admite que, apesar do alto custo para a implantação de usinas hidrelétricas, o preço principal de seu combustível é zero, o que torna energia renovável, sem a utilização de gases de efeito estufa. Em que pese, na energia renovável, anão há liberação de gases poluentes, as usinas hidroelétricas causam grandes impactos ambientais negativos na sua implantação, destruindo a vegetação natural, o assoreamento do leito dos rios, o desmoronamento de barreiras, a extinção de certas espécies de peixes, além dos impactos sociais relacionados ao deslocamento das populações do haitatlocal (QUEIROZ et al., 2013).

Hoje as hidrelétricas no Brasil são a principal fonte de energia com 63%, abastecendo residências, usinas e empresas, através dos movimentos das turbinas que aciona os geradores, responsáveis pela transformação da energia cinética em energia elétrica.

A Biomassa é todo recurso de origem resultado de queimas de matérias primas orgânicas, não incluindo combustíveis fósseis, apesar de serem derivados do meio vegetal e mineral, como nos casos do carvão, do petróleo e do gás natural.

A biomassa, por sua vez, engloba uma gama de vegetais existentes na natureza que se formam por meio do processo de fotossíntese, como também os resíduos formados a partir de sua atualização (resíduos florestais e agrícolas, matéria orgânica contida nos resíduos industriais, domésticos, comerciais e rurais) (REIS; FADIGA; CARVALHO 2012).

A energia renovável, a par de outros benefícios provenientes das fontes renováveis como a poluição atmosférica, catástrofes decorrentes das mudanças climáticas, decorrente da emissão de Co2, podendo ser denominado de valores ambientais, são tão importantes quanto à questão da segurança energética.

2.1. Energia Solar Ganhos e Impactos

A principal fonte da energia solar é o uso do sol como fonte direta de eletricidade, sendo utilizado para essa utilidade o uso de três tecnologias: fotovoltaicas, heliotérmica e sistemas isolados da rede elétricos cumprem assinalar, que o mais utilizado é a fotovoltaica e cada dia vem conquistando a maioria dos mercados. A geração de energia solar fotovoltaica encerrou 2021 com avanço de 29,3%. Em janeiro deste ano, a produção aumentou 60,9% em janeiro, de acordo com o levantamento periódico do Boletim Infomercado Quinzenal da Câmara de Comercialização de Energia Elétrica (sic) (SOUSA, 2022).

Apesar desse vertiginoso crescimento, o Brasil é um mercado promissor, que pode ser melhor ainda explorado, em razão do potencial energético no Brasil ser bastante vasto, um país de dimensões continentais, encontrando-se localizado em posição privilegiada no globo terrestre, acostado pela linha do equador, posição de maior incidência direta de raios solares no planeta.

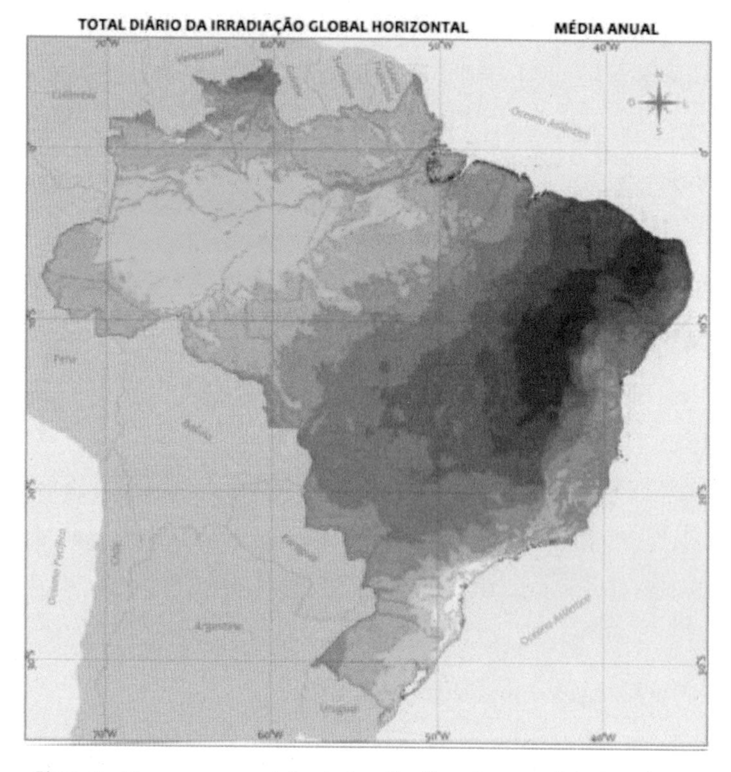

Figura1: Mapa com a média da irradiação solar anual do Brasil.
Fonte: Atlas de Energia Solar, 2017.

Percebe-se, conforme mapa mencionado, a incidência solar é praticamente alta em todas as localidades do país.

A geração fotovoltaica está sendo incluída nas políticas públicas dos governos estaduais.

O Estado da Paraíba, por exemplo, é destaque nacional em empreendimentos de energia solar fotovoltaica. No mês de setembro de 2021, a potência instalada no Estado atingiu cerca de 127MW, abrangendo 9.590 unidades consumidoras, segundo os dados da Agência Nacional de Energia Elétrica (ANEEL) (PARAIBA, 2020).

Assim, o potencial aproveitamento do sol, serve de grande motivação para que se busquem alternativas energéticas de cunho renovável, tendo em vista que a atual escassez de energia elétrica, devido a nossa matriz ser baseada em grandes usinas hidrelétricas e termoelétricas, estas usando como sua fonte energética o uso de combustíveis fosseis.

A busca de um modelo que tenha como pano de fundo a trilogia econômica, social e ambiental enquanto agente transformador desses padrões tem que antes de tudo partir dos governos, através de incentivos.

Assim, a adoção de fontes renováveis, gera uma expectativa de um preço acessível à energia a todos e todas, resultando em uma política de inclusão social e consolidação da cidadania.

Na questão do desenvolvimento, o principal ponto é a produção de energia, a vida moderna está dependente da energia, pois ela proporciona o acesso à informação aos bancos, que na maioria, estão se tornando cada vez mais virtuais, os hospitais equipados com aparelhos eletro eletrônicos computadorizados, as fabricas que está substituindo o trabalho braçal pelo uso da tecnologia, sem falar que todos estão conectados à rede mundial de computadores, sem uso da energia, a sociedade hodierna não funciona.

Nesse trilhar, é importante destacar a geração de emprego e renda, visto que há contratação de mão de obra local ou regional, o que pode possibilitar melhorias na qualidade de vida das comunidades próximas, assim como, para a população da região (GEOCONSULT, 2012).

Por outro lado, é possível considerar que a energia solar há também aspectos negativos, em variadas amplitudes e abrangências, entretanto este trabalho se ateve aos impactos causados na fase de implantação e operação.

Em uma análise econômica, esse tipo de energia possui um alto custo para o consumidor final na sua implantação.

No aspecto ambiental, no descarte das placas que duram um longo prazo em média de 25 a 30 anos, pode vir ocasionar poluição do solo, visto que são fabricados a partir do silício, advindo por um longo processo produtivo. Porém, um gerenciamento incorreto dos resíduos fotovoltaicos envolve a perda de materiais escassos e preciosos, a exemplo, da prata, cobre, gálio, índio e germânio, e de materiais convencionais como o alumínio e vidro, havendo ainda, importantes questões ambientais decorrentes da liberação de substâncias perigosas, como o chumbo, metal altamente tóxico. A reciclagem dos painéis tem se mostrado como a opção mais adequada, mas são necessárias políticas e normas que a tornam obrigatória ou pelo menos incentivada (SERMARINI, 2020).

Assim, considerando a vida útil dos painéis solares, até que o descarte desses equipamentos venha ocorrer de forma grandiosa, espera-se que, antes disso, a questão já esteja totalmente resolvida, o que provavelmente vai acontecer, devido ao grande valor desses resíduos.

É de conhecimento que a construção de usina solar de grande porte pode ocasionar impactos negativos nos ecossistemas locais, por utilizar grandes áreas, pode afetar a fauna e a flora e dependendo do lugar que for implantado esse dano poderá ser considerável, por exemplo, em áreas com grande cobertura vegetal, esta pode ser afetada devido a terraplanagem e/ou sombreamento causados pelas placas. Em relação a fauna, as mudanças dos limites das comunidades de espécies locais, podem causar escassez de alimentos, forçando uma migração de fauna. Há, pois, riscos de desequilíbrio de elos tróficos de cadeia alimentares locais.

Há de considerar que nos empreendimentos de grande porte, poderá correr os riscos de acidentes com animais ou causados por animais. Em razão das mudanças nas rotas de fuga das comunidades formadas pelas espécies locais. Registre-se que a remoção de tocas e esconderijos de determinadas espécies, ocasiona a fuga de parte ou ainda sua invasão na área do empreendimento.

De acordo com o Departamento de Estradas e Rodagem do Estado de São Paulo, a invasão de animais na pista de rolamento pode causar sérios acidentes em rodovias vicinais (SÃO PAULO, Departamento de Estradas de Rodagem, 2012).

Com o solo sem vegetação, intensifica-se os processos erosivos, causando danos ao solo, provoca o que chamamos de acirramento do processo erosivo e escassez do alimento para fauna local.

A fonte solar fotovoltaica chama atenção tanto por seus aspectos positivos como por apresentar menor intensidade pelos impactos negativos, podendo ser ainda mais relativizados, caso sejam levadas em conta, os padrões ambientais tanto na fabricação, quanto na sua implantação e no descarte (SOLAR, 2022).

Considerações Finais

Este capítulo apresentou um breve cenário das energias renováveis, trazendo à baila as principais fontes de energia limpa e o grande potencial do país, tendo como desafio a busca pela sustentabilidade.

Energia Renovável: Os Ganhos e os Impactos Ambientais da Energia Solar

Com as indústrias em crescimento, o uso crescente de equipamentos eletrônicos em razão da revolução tecnológica que provoca um aumento vertiginoso a cada dia, é preciso ter disponível, recursos básicos para seu funcionamento. A energia é um dos instrumentos mais importante desse processo, devendo ser incentivado, prioritariamente, no país, pelos programas de eficiência energética.

As fontes renováveis são um desafio para vencer a escassez da energia e garantir que a indústria nacional, os hospitais e as repartições públicas continuem funcionando com a perspectiva de aumento de ganho e produção.

Por outro lado, é preciso que haja uma preocupação ambiental com o modelo a ser adotado na forma de exploração destes recursos renováveis, mantendo acima de tudo, os princípios de responsabilidade socioambiental.

Nesse trilhar, os sistemas fotovoltaicos não emitem poluente durante sua operação, sendo uma alternativa promissora com uma alternativa energética sustentável. O impacto ambiental mais significante do sistema fotovoltaico para geração de eletricidade é provocado durante sua fabricação e montagem, notadamente, na fase de implantação.

Delineia-se, que grande parte dos impactos positivos se consolida na fase de operação, quando o empreendimento já se encontra consolidado

Referências Bibliográficas

ABIOGÁS, Associação Brasileira do. **Fontes de energia renováveis representam 83% da matriz energética brasileira**. 2020.Disponível:https://abiogas.org.br/fontes-de-energia-renovaveis-representam-83-da-matriz-eletrica brasileira/#:~:text=Fontes%20de%20energia%20renov%C3%A1veis%20representam%2083%25%20da%20matriz%20el%C3%A9trica%20 brasileira,-

Share%20on%20facebook&text=%5B%3Apb%5DO%20Brasil%2C%20atualmente,Minas%20e%20Energia%2C%20Reive%20Barros.

AGUILAR, Renato Soares de; OLIVEIRA, Lidiane Cristovam de Souza; ARCANJO, Grazielle Louise Ferreira. **Energia renovável:** Os ganhos e impactos sociais, ambientais e econômicos nas indústrias brasileiras.XXXII Encontro Nacional de Engenharia de Produção de 15 a 18 de outubro de 2012. Bento Gonçalves, 2012.

ANEEL. Agência Nacional de Energia Elétrica. **Atlas de energia elétrica do Brasil**. Brasília, 2008. Disponível em: <http://www2.aneel.gov.br/arquivos/PDF/atlas_par2_cap5.pdf>.

BRASIL. Agência Nacional de Energia Elétrica, 2012. **Resolução Normativa nº 482/2012**. Brasília: ANEELDEPARTAMENTO DE ESTRADAS DE RODAGEM (DER). Manual Básico de Estradas e Rodovias Vicinais, 2012, São Paulo: DER/SPENERGIA, Canal. Fonte Solar começa 2022 com aumento de 60,9 % na produção. 2022 Disponível: <https://www.canalenergia.com.br/noticias/53203184/

fonte-solar-comeca-2022-com-aumento-de-609-na-producao>. Acesso em: 02 jun. 2022.

PES, Joao Hélio Ferreira; ROSA, Taís Hemann da. Análise Jurisprudencial do Direito de Acesso à energia elétrica. In: VIII Seminário Internacional Demandas Sociais e Políticas Públicas na Sociedade Contemporânea, 2011, Santa Cruz do Sul - RS. **Anais...** VIII SEMINÁRIO INTERNACIONAL DEMANDAS SOCIAIS E POLÍTICAS PÚBLICAS NA SOCIEDADE CONTEMPORÂNEA. Santa Cruz do Sul: EDUNISC, 2011.

BERMANN, C. (Org.) **As novas energias no Brasil: Dilemas da inclusão social e programas de governo**. Rio de Janeiro: Ed. FASE, 2007. Disponível em: <http://cienciaecultura.bvs.br/pdf/cic/

v60n3/a10v60n3.pdf>

BRANDÃO, Luciana Costa et al. **A Política Externa Brasileira para o Meio Ambiente:** um estudo comparado da Rio-92 e da Rio+20[1]. 1º Seminario Internacional de Ciência Política Universidade Federal do Rio Grande do Sul, Porto Alegre, 2015. Disponível em: <https://www.ufrgs.br/sicp/wp-content/uploads/2015/09/3.-BRAND%C3%83O-Luciana-Costa-A-Pol%C3%ADtica-Externa-Brasileira-para-o-Meio-Ambiente-um-estudo-comparado-da-Rio-92-e-da-Rio-20.pdf>

BRASIL. Constituição Federal de 1988. Brasília: Senado Federal, 1988.

DE MELO, C. A.; JANUZZI, G. DE M.; BAJAY, S. V. Nonconventional renewable energy governance in Brazil: Lessons to learn from the German experience. **Renew. Sustain. Energy Rev.**v.*61*: 222-234, 2018.

FRADE, L. C. S. **Estudo da potencialidade e energia eólica no litoral do Estado do Pará.** Dissertação. Universidade Federal do Pará – Belém, 2000.

GEOCONSULT, C. G. e. M. A. L. **Relatório de Impacto Ambiental -RIMA** . Central Geradora Solar Fotovoltaica Tauá, Fortaleza: s.n. 2012.

PARAÍBA. **Lei nº lei nº 1.0720, de 22 de junho de 2016**. 2016.

PARAÍBA, Governo do Estado. **Paraíba se Destaca na Produção de Energia renováveis e contribui para preservação ambiental**. 2020. Disponível:https://paraiba.pb.gov.br/noticias/paraiba-se-destaca-na-producao-de-energiasrenovaveis-e-contribui-para-preservacao ambiental#:~:text=

Com%20rela%C3%A7%C3%A3o%20%C3%A0%20gera%C3%A
%C3%A3o%20distribu%

C3%ADda,de%20Energia%20El%C3%A9trica%20(Aneel) Acesso em: 10 jun. 2022.

QUEIROZ, R. et al. Geração de energia elétrica através da energia hidráulica e seus impactos ambientais. **Revista Eletrônica em Gestão, Educação e Tecnologia Ambiental**, v. 13, n. 13, p. 2774- 2784, 2013. Acesso em: 10 jun. 2022.

REIS, Lineu Belico dos; FADIGAS, Eline A.F Amaral; CARVALHO, Cláudio Elias. **Energia, recursos naturais e a prática do desenvolvimento sustentável**. 2. ed. Barueri, São Paulo: Manole. 2012. p. 269-70.

SERMARINI, Anna Carolina. **Os impactos ambientais negativos da energia solar que nunca te contratam**. Revolução solar, 2020 Disponível em: <https://revolusolar.org.br/os-impactos ambientais-negativos-da-energia-solar-que-nunca-te contaram/?gclid=CjwKCAjwve

2TBhByEiwAaktM1NJGGHUDiuApgZ38Mw-mzeVwlnzyH2GCz7jAfwFdg8fOcCkSmLFh

WBoCHB8QAvD_BwE>. Acesso em: 10 jun. 2022.

SOLAR, Blue Sol. **Energia Solar e os Impactos Ambientais no Uso da Tecnologia Fotovoltaica**. Disponível em: <https://blog.bluesol.com.br/energia-solar-impactos-ambientais/>. Acesso em: 10 de jun. de2022.

SOUSA, Rafaela. **"Energia Solar"; Brasil Escola**. 2022. Disponível em: <https://brasilescola.uol.com.br/geografia/energia-solar.htm>. Acesso em 13 de julho de 2022.

A PROTEÇÃO INTERNACIONAL DO MEIO AMBIENTE EM FACE DO DIREITO À MORADIA

Monizze Lotfi [1*]

Introdução

Nos últimos anos tem-se notado uma maior preocupação com o meio ambiente e a criação de inúmeros mecanismos com vistas a possibilitar maior proteção e preservação, colocando assim o sistema ambiental em um patamar de destaque em face a sociedade mundial.

Nesse toar, é comum perceber que os pensamentos estão direcionados para a impraticabilidade da ação em detrimento da natureza, exercida pelo homem, e da exploração indiscriminada dos recursos naturais como se estes fossem inacabáveis. Tal ato ocorre em virtude de os seres humanos perceberem que o crescimento desordenado da sociedade possui a capacidade de provocar, de forma direta, a instabilidade do sistema ambiental e da qualidade de vida da população, o que faz do meio ambiente um tema cada vez mais em ascensão.

---

[1] * **Monizze Lotfi**:
-Advogada.
-Pós-graduada em Direito Civil, Processual Civil e do Consumidor pela Universidade Associação Educacional Leonardo da Vinci (UNIASSELVI).
-Especialista em Direito Bancário.
-Mestranda em Direito Ambiental e Sustentabilidade pela Universidade Católica de Santos (UNISANTOS).
-Presidente da Comissão de Meio Ambiente da 192°Subseção da OAB/SP - Jacupiranga (triênio 2002/2024).

Todavia, o direito de moradia, como também o direito ao meio ambiente, constitui-se de um princípio fundamental de todos os indivíduos, sendo responsável pelo bem-estar das pessoas e de sua família, em respeito à dignidade da pessoa humana.

Diante de tal fato e por constitui-se de dois princípios de suma relevância para a sociedade, é de suma importância que ambos convivam de forma harmoniosa, em sintonia com os seus preceitos fundamentais, seja da preservação do meio ambiente, como também do direito à moradia.

Nesse sentido, o presente artigo tratará da preservação do meio ambiente e das relações internacionais em face ao direito de moradia. Apresenta-se como problemática a ser respondida ao longo do presente trabalho o seguinte questionamento: De que forma a preservação do meio ambiente poderá ocorrer em face do direito social de moradia na atual conjuntura pela qual se encontra o país?

O objetivo principal deste trabalho será o de realizar uma análise minuciosa acerca da preservação do meio ambiente e das relações internacionais em face ao direito de moradia, evidenciando a importância do desenvolvimento sustentável como forma de propiciar uma melhor qualidade de vida para as gerações futuras e bem como, para com o direito de moradia.

Partindo-se deste pressuposto, a metodologia empregada para alcançar o objetivo principal deste artigo será baseada na revisão bibliográfica pela qual tem a capacidade de proporcionar, de forma mais qualificada, a compreensão das pesquisas existentes e de obter conclusões mais nítidas a partir do tema proposto.

Foram utilizados também os métodos qualitativos e descritivos na abordagem do tema em si.

1. Contextualização Histórica da Relação do Homem para com o Meio Ambiente

Ao longo dos anos o sistema ambiental em seu todo vem sendo degradado pelas constantes ações dos seres humanos com o intuito de satisfazer o seu bem-estar, tornando-se necessário, consequentemente, a criação de leis especificas para a sua proteção.

Nesse sentido, pode-se afirmar e de acordo com Milaré (2015) que desde os tempos mais remotos a sociedade em si utiliza os recursos naturais provindos da natureza, onde que, todavia, a conexão existente entre homem e meio ambiente era baseada simples e exclusivamente no extrativismo. A partir do momento em que tais recursos se tornava escasso no local onde se encontravam, o grupo partia para outras localidades para que houvesse a sua exploração. Partindo-se deste pressuposto, vale ressaltar que este período ficou marcado pelo temor que o homem possuía acerca dos fenômenos naturais que poderiam acontecer, como pode ser citado as chuvas fortes juntamente com relâmpagos e as marés altas. Fazendo acreditar assim que fosse em resposta por algum ato seu considerado errado pelos deuses, ou seja, os homens da antiguidade possuíam respeito e reverência em face ao meio ambiente.

Assim sendo, Roberts (2004), em relação ao desenvolvimento existente entre homem x meio ambiente, explana que:

> *Não importa como funcionou, o resultado foi claro; às vezes as espécies com características mais "humanas" foram lentamente protegidas do duro mecanismo de seleção evolutiva da natureza. Até então a natureza agira eliminando grupos genéticos incapazes de se adaptar fisicamente aos desafios do meio ambiente. Quando a prudência, a previsão e a habilidade possibilitaram que alguns evitasse, catástrofes, uma nova força começou a atuar na seleção, muito parecida com o que chamamos de inteligência humana. Ela fornece os primeiros sinais de um impacto positivo e consciente sobre o meio ambiente que*

> *marca as primitivas conquistas humanas. (ROBERTS, 2004, p. 29-30)*

Contudo, essa relação de submissão acaba se transformando em um verdadeiro sistema de consumo, onde os recursos naturais são utilizados de forma descontrolada para suprir as necessidades humanas.

Assim, no decorrer dos anos e em especial com o surgimento da Revolução Industrial, houve um verdadeiro desencadeamento no que tange a devastação da natureza, tomando-se proporções nunca imaginadas. Sendo que, o que se pensava anteriormente se tratar de um progresso para a sociedade, proporcionando o melhoramento na qualidade de suas vidas, passou a ser um ponto negativo para o sistema ambiental. O desenvolvimento ocorrido com a Revolução Industrial fez surgir um maior consumo, sendo este, considerado um potencial causador da degradação da natureza, pois quanto mais se produz, mais será o consumo por parte da sociedade e, por conseguinte, se faz necessário um maior número de empresas que proporcione a continuação desenfreada do consumismo dos produtos por elas produzidas.

Desta forma, o desenvolvimento da sociedade levou em conta, tão somente, a disseminação industrial, desprezando o fato de que este crescimento, de forma descontrolada, poderia acarretar perdas irreparáveis a natureza. Percebendo-se assim, um crescimento do setor econômico do país em contrapartida nada sendo realizado em prol do meio ambiente, não se dando conta de que a degradação provocada em anos atrás acarretaria problemas no futuro.

Assim sendo, Milaré (2015) explana que:

> *Num prazo muito curto – e que se torna cada vez mais curto – são dilapidados pela humanidade os patrimônios formados lentamente no decorrer dos tempos geológicos e biológicos, cujos processos não voltarão mais. Os recursos consumidos e esgotados não se recriarão. Por isso, o*

> *desequilíbrio ecológico acentua-se a cada dia que passa. (MILARÉ, 2015, p. 54)*

Seguindo os pensamentos do autor citado acima, o mesmo relata que:

> *Do ponto de vista ambiental o planeta chegou quase ao ponto de não retorno. Se fosse uma empresa estaria à beira da falência, pois dilapida o seu capital, que são os recursos naturais, como se eles fossem eternos. O poder da autopurificação do meio ambiente está chegando ao limite. (MILARÉ, 2015, p. 56)*

Ou seja, o crescimento desenfreado em face da utilização dos recursos ambientais proporcionou, ao meio ambiente, um verdadeiro perigo no que tange a sua extinção, mesmo antes do Estado realizar interferências com o intuito de minimizar os danos já ocasionados.

Percebe-se então que, diante a grande necessidade em se preservar a natureza como forma de assegurar uma melhor qualidade de vida para os seres humanos, é que se institui a importância de se fazer do sistema ambiental um direito enraizado, autônomo e independente, estando, de forma coesa e absoluta, interligado ao princípio da dignidade da pessoa humana.

1.1 Definição de meio ambiente

De acordo com Antunes (2014) a definição de meio ambiente é bastante vasta tendo cada autor a sua concepção acerca do assunto.

Desta forma, como meio de definir o que venha a ser meio ambiente, o artigo 3º da Lei de número 6.938/81 que trata sobre a "Política Nacional do Meio Ambiente", dispõe que:

> *Art. 3º - Para fins previstos nesta Lei, entende-se por:*
> *I – Meio ambiente, o conjunto de condições, leis, influências e interações de ordem física, química e biológica, que permite, abriga e rege a vida em todas as suas formas. (BRASIL, 1981)*

Entretanto, Machado (2014) considera a conceituação dada pela legislação acima mencionada muito abrangente, fazendo compreender o sistema ambiental como um todo, de maneira mútua e integrativa, podendo assim ser considerada como um ecossistema.

No mais, partindo de uma definição mais vasta e seguindo os preceitos constitucionais que tratam do meio ambiente, Silva (2010, p. 18) a conceitua como sendo: "[...] a interação do conjunto de elementos naturais, artificiais, e culturais que propiciem o desenvolvimento equilibrado da vida em todas as suas formas".

Já para Nardy (2003) meio ambiente pode ser entendido como sendo:

> *[...] a união e a interação dos elementos naturais, artificiais, culturais e do trabalho que viabilizem o desenvolvimento equilibrado de todas as formas, sem exceções. Consequentemente, não existirá um ambiente sadio enquanto não se elevar, ao máximo de excelência, a qualidade da integração e da interação desse conjunto. (NARDY, 2003, p. 10)*

Segundo Silva (2010) a definição de meio ambiente está ligada não somente a natureza, mas também pela união de elementos que propicia o bem-estar da sociedade. Assim sendo, o autor supracitado, relata que:

> *O conceito de meio ambiente há de ser, pois, globalizante, abrangente de toda a natureza original e artificial, bem como os bens culturais correlatos, compreendendo, portanto, o solo, a água, o ar, a flora, as belezas naturais, o patrimônio histórico, artístico, turístico, paisagístico e arqueológico. O meio ambiente é, assim, a interação do conjunto de elementos naturais, artificiais e culturais que propiciem o desenvolvimento equilibrado da vida em todas as suas formas. A integração busca assumir uma concepção unitária do ambiente compreensiva dos recursos naturais e culturais. (SILVA, 2010, p. 20)*

Percebe-se assim a veracidade da abrangência no que tange a definição do meio ambiente, onde se levará em conta, de acordo com Nardy (2003) os elementos constituintes de sua definição, como os naturais, artificiais, culturais e do trabalho. Pois esses, segundo o autor, direcionam-se para o atendimento das necessidades organizacionais no que tange ao reconhecimento das ações agressoras e do bem devastado.

1.2 Princípios inerentes ao Direito Ambiental

Os princípios constituem-se de fundamental importância para com o Direito brasileiro, sendo consideradas a base de todo o ordenamento jurídico vigente. Desta forma, impende expor uma breve análise dos princípios que regem o Direito Ambiental, a fim de compreender a importância deste ramo do direito.

1.2.1 Princípio da prevenção

No que tange ao princípio da prevenção, Granziera (2009, p. 6) ensina que "a prevenção consiste em impedir a superveniência de danos ao meio ambiente por meio de medidas apropriadas, ditas preventivas, antes da elaboração de um plano ou da realização de uma obra ou atividade".

Ou seja, o princípio da prevenção possibilita que seja realizado um estudo prévio acerca dos danos que um possível empreendimento poderá ocasionar ao meio ambiente, sendo assim permissível que medidas sejam adotadas como forma de compensação e de mitigação desta degradação, viabilizando alternativas que sejam capazes de dirimir os danos ambientais.

Nesse sentido, a Declaração do Rio Sobre Meio Ambiente e Desenvolvimento datada no ano de 1992 veio a estabelecer que:

> *Para proteger o meio ambiente medidas de precaução devem ser largamente aplicadas pelos Estados segundo suas capacidades. Em caso de risco de danos graves ou irreversíveis, a ausência de certeza científica absoluta não*

> *deve servir de pretexto para procrastinar a adoção de medidas efetivas visando prevenir a degradação do meio ambiente. (BRASIL, 1992)*

Desta forma, pode-se afirmar que o princípio da prevenção tem como intuito central evitar que danos sejam acometidos contra o sistema ambiental, sendo instituídas naqueles momentos em que os riscos são iminentes e previsíveis, requerendo assim soluções plausíveis, por parte dos agentes causadores destes possíveis danos, sempre buscando impedir que tal ato venha a se concretizar e causar malefícios ao meio ambiente.

1.2.2 Princípio da precaução

O princípio da precaução constitui-se a essência do Direito Ambiental em virtude dos seus componentes consistirem como base da proteção do sistema ambiental, para com as atuais e futuras gerações.

Desta forma, Derani (1997) vem a explanar que:

> *Esse princípio indica uma atuação racional para com os bens ambientais, com a mais cuidadosa apreensão possível dos recursos naturais, [...] que vai além das simples medidas para afastar o perigo. Na verdade, é uma precaução contra o risco, que objetiva prevenir já uma suspeição de perigo ou garantir uma suficiente margem de segurança da linha do perigo. (DERANI, 1997, p. 165)*

Machado (2014, p. 72) vem a dispor ainda que: “Em caso de dúvida ou de incerteza, também se deve agir prevenindo. Essa é a grande inovação do princípio da precaução. A dúvida cientifica expressa com argumentos razoáveis, não dispensa a prevenção”.

Entende-se assim que este princípio advém de iminente perigo ou ameaça ao meio ambiente, onde medidas necessitam ser tomadas com forma de minimizar tal impacto.

1.2.3 Princípio da reparação

De acordo com Souza (2013) o princípio da reparação vem a determinar que seja realizado o ressarcimento acerca dos danos causados ao meio ambiente.

Neste sentido, Machado (2014, p. 83) preceitua que: "[...] os Estados deverão desenvolver legislação nacional relativa à reponsabilidade e à indenização das vítimas da poluição e outros danos ambientais". Ou seja, torna-se necessário que seja aplicada multas indenizatórias em face daqueles agentes que venham a ocasionar algum tipo de dano ambiental e, bem como, no sentido de prevenir que novos problemas não venham a atingir este sistema.

1.2.4 Princípio da informação

No que tange a este princípio Souza (2013) explana que a informação representa a base de sustentação de toda e qualquer tomada de decisão. Não sendo diferente ao meio ambiente, constituindo-se assim de um instrumento capaz de propiciar aos cidadãos o reconhecimento de ações que possam favorecer a preservação do meio ambiental.

Desta forma, Machado (2014, p. 123) vem a complementar que: "[...] a informação visa, também, a dar chance à pessoa informada de tomar posição ou pronunciar se sobre a matéria informada".

Percebe-se assim que o princípio da informação garante que os cidadãos participem ativamente nas questões que envolva o meio ambiente, possibilitando, desta forma, que venha a ocorrer um crescimento no que tange a conscientização das pessoas acerca dos direitos e deveres em face ao sistema ambiental brasileiro.

1.2.5 Princípio da participação

O princípio da participação, segundo Antônio & Vitoria (2019), vem a estabelecer que a melhor forma de se tomar alguma decisão acerca de questões ligadas ao meio ambiente é com a plena participação da sociedade, a qual pode ocorrer de forma individual ou coletiva, por meio de organizações sociais.

Nota-se assim que a participação da sociedade no que tange a tomadas de decisões ambientais constitui-se de fundamental importância na vida de seus membros, pois por meio das suas opiniões será possível instituir medidas que visem assegurar um sistema ambiental mais propicio e seguro para as gerações futuras.

1.2.6 Princípio do desenvolvimento sustentável

E por fim encontra-se o princípio do desenvolvimento sustentável que, de acordo com Souza (2013), dispõe que o desenvolvimento econômico do país deve estar em sintonia com a preservação do meio ambiente, sem prejudicar, de forma alguma, o sistema ambiental do país, sempre levando em conta o bem-estar da sociedade em si.

Nesse sentido, Sirvinskas (2009, p. 58) explana que o princípio do desenvolvimento sustentável "[...] Representa o esforço constante em equilibrar e integrar os três pilares do bem-social, prosperidade econômica e proteção em benefício das gerações atual e futuras".

Desta forma, em razão de os recursos naturais se consubstanciarem em fontes não renováveis, é imperioso que a sociedade contemporânea estabeleça medidas que visem assegurar a sua proteção, bem como que os governos adotem procedimentos de intervenção em questões relacionadas aos interesses individuais e coletivos que interfiram no meio ambiente. De modo que as gerações futuras possam desfrutar dos meios ambientais de forma qualificada, preventiva e consciente, favorecendo a sua sobrevivência e bem-estar.

1.3 A proteção do meio ambiente no Direito Internacional

Os debates acerca da proteção do meio ambiente existem há décadas e sofrem constantes mudanças no que tange ao seu grau de importância.

O desenvolvimento, de forma acelerada, causou verdadeira degradação ecológica em todas as nações. Assim, os altos níveis de substâncias tóxicas advindas das indústrias, dos veículos automotores, dentre outros, fizeram com que a sociedade internacional passasse a se mobilizar de modo a repensar as ações que se tinha até então com o Planeta.

Partindo desta perspectiva Milaré (2015, p. 50) preceitua que foi possível chegar ao entendimento de que as atividades praticadas pelos seres humanos atingiram um patamar extremamente predatório, vindo a resultar, em toda a Terra "o lençol freático se contamina, a água escasseias, a área florestal diminui, o clima sofre profundas alterações, o ar se torna irrespirável, o patrimônio genético se degrada, abreviando os anos que o homem tem para viver sobre o Planeta". Ressaltando que, de acordo com o autor supracitado, as primeiras informações repassadas acerca da gravidade pela qual se encontrava o sistema ambiental mundial, abarcando a manutenção da vida humana, como também a flora e a fauna, se deram em 1972, em Estocolmo/.

A partir de então, segundo Milaré (2015) tem-se a instituição de 26 princípios pelas quais vieram a fazer parte da Declaração de Estocolmo, estabelecendo modos comportamentais e de responsabilidade a serem observadas pelos países como forma de propiciar uma maior proteção do meio ambiente. Passando, consequentemente, a considerar o sistema ambiental como patrimônio da humanidade e, em virtude a tal fato, se preservado e protegido.

Cabe salientar que os 26 princípios desenvolvidos e enumerados na Declaração de Estocolmo vieram a exercer significativa influência na elaboração e promulgação da Constituinte brasileira, principalmente no que tange a redação dada no artigo 225, pela qual veio a dispor que todos os seres humanos possuem direito a uma vivência digna e com qualidade, sendo que a natureza se constitui de um bem pertencente a todos, devendo-se assim ser preservada para a presente e futuras gerações.

Pode-se mencionar ainda, como medidas internacionais adotadas para a proteção do meio ambiente e executada pela Organização das Nações Unidas (ONU), a Agenda 21, conhecida também como Rio/92, pela qual veio a estabelecer a Declaração do Rio de Janeiro. Consistindo-a em um conjunto de preceitos e anseios destinadas para o estabelecimento de condutas a serem seguidas pelas nações internacionais durante o séc. XXI. Ou seja, funcionando como forma de conscientizar os países da extrema necessidade reverem a atual conjuntura pela qual se encontrava a degradação do planeta Terra. Passando a levar em conta a criação e a implementação de políticas públicas que fossem capazes de propiciar a preservação do meio ambiente juntamente com o desenvolvimento das sociedades.

Tem-se ainda a Carta da Terra, vindo a ser aprovada no ano de 2000 e desenvolvida pelas Nações Unidas consistindo em uma riquíssima ferramenta educacional em razão de ser ela formada por um conjunto de valores, preceitos e anseios destinados a alcançarem uma sociedade mundial justa, pacífica e, principalmente sustentável.

De forma resumida, destaca-se ainda, como medidas internacionais voltadas para com a proteção do meio ambiente, a CITES, mais precisamente conhecida como Convenção sobre Comércio Internacional de Espécies de Flora e Fauna Selvagem em Perigo de Extinção instituída no ano de 1973. Logo em seguida encontra-se a Convenção sobre Poluição Transfronteiriça a ser realizada no ano de 1979. Já em 1985 acontece a Convenção de Viena para a Proteção da Camada de Ozônio. E em 1989 encontra-se a Convenção da Basiléia vindo ela a tratar do controle de movimentos transfronteiriço de resíduos perigosos.

Cita-se ainda a Conferência das Nações Unidas sobre Mudanças Climáticas pela qual veio a ocorrer na cidade de Kyoto no ano de 1997 possibilitando a elaboração do Protocolo de Kyoto cujo objetivo estava direcionado para a minimização da emissão de gases e, logicamente, a redução do efeito estufa.

Percebe-se assim que ao longo dos anos a preocupação com o meio ambiente se tornou mais contundente. As medidas internacionais são adotadas como forma de amenizar os efeitos já provocados pela degradação ambiental, para o fim de possibilitar que as gerações futuras usufruam de uma vida mais saudável e digna.

2. Dos Direitos Sociais

Os direitos sociais constituem de ações praticadas pelo Estado com o intuito de garantir a plena execução dos direitos e preceitos fundamentais impostos.

É nesta conjuntura que os direitos sociais são como parte integrante do princípio da dignidade da pessoa humana, visto que se destinam a propiciar aos indivíduos uma melhor qualidade de vida.

Desta forma, o artigo 6º da Carta Magna dispõe que:

> *Art. 6º - São direitos sociais a educação, a saúde, a alimentação, o trabalho, a moradia, o transporte, o lazer, a segurança, a previdência social, a proteção à maternidade*

> *e à infância, a assistência aos desamparados, na forma desta Constituição. (BRASIL, 1988)*

Pode-se dizer que o direito social alinhado com o mínimo existencial necessário se caracteriza como uma verdadeira ação executora da liberdade.

Todavia, vale ressaltar que em virtude das adversidades pelas quais o Estado se depara constantemente, mostra-se impossível que este consiga cumprir com todos os direitos sociais estabelecidos pela constituinte em favor da sociedade. Partindo deste ideal, Bittar (2009) explana que:

> *Embora seja preciso ter certa dose de cautela para não cair no extremo de pensar que o Estado pode tudo, também não se deve admitir que o Estado não possa nada ou quase nada em função das crises econômicas. Nesse meio termo se situa a necessidade de equilíbrio entre a dinâmica de emprego da reserva do possível em seu grau máximo, principalmente impedindo retrocessos nas conquistas sociais. (...) o princípio em questão deve ser conjugado com a ideia de otimização dos recursos mediante o emprego do máximo possível para promover a eficácia dos direitos mencionados. (BITTAR, 2009, p. 44)*

Destarte, nota-se que em virtude da quantidade existencial dos direitos sociais estabelecidos pela constituinte, onde uma pequena parte desses direitos são supridos, é que advém o fato de não só propiciar, mas também de realizar a proteção do mínimo existencial unido aos direitos sociais. É aí que surge o instituto do bem de família, como forma de estabelecer a proteção da moradia.

2.1 Do princípio da dignidade da pessoa humana

O princípio da dignidade humana corresponde aos atributos pertencentes a todos os cidadãos, e que em momento algum deverão ser retirados dos mesmos, pois consiste no princípio primordial para se assegurar uma vida honrosa.

Siqueira & Nunes (2018, p. 52), expõe que: "além de um valor social, é um princípio jurídico fundamental estabelecido pela Constituinte de 1988, bem como se relaciona intrinsecamente aos direitos fundamentais, sendo tal relação em maior ou menor nível."

De acordo com Alvarenga & Rodrigues (2015), a dignidade da pessoa humana poderá ser definida como:

> *Qualidade intrínseca e distintiva reconhecida em cada ser humano que o faz merecedor do mesmo respeito e consideração por parte do Estado e da comunidade, implicando neste sentido, um complexo de direitos e deveres fundamentais que assegurem à pessoa tanto contra todo e qualquer ato de cunho degradante e desumano, como venham a lhe garantir as condições existenciais mínimas para uma vida saudável, além de propiciar e promover sua participação ativa e corresponsável nos destinos da própria existência e da vida em comunhão com demais elementos humanos. (ALVARENGA; RODRIGUES, 2015, p. 77)*

O princípio da dignidade da pessoa humana está previsto na CF/88 no seu artigo 1º, sendo ele:

> *Art. 1º A República Federativa do Brasil, formada pela união indissolúvel dos Estados e Municípios e do Distrito Federal, constitui-se em Estado Democrático de Direito e tem como fundamentos:*
> *I – a soberania;*
> *II – a cidadania;*
> *III – a dignidade da pessoa humana;*
> *IV – os valores sociais do trabalho e da livre iniciativa;*
> *V – o pluralismo político. (BRASIL, 1988)*

Sendo assim, este princípio, estabelece, de forma efetiva, a dignidade moral do cidadão, independentemente da sexualidade, credo, raça, da posição política e cor.

Siqueira & Nunes (2018), afirmam ainda que:

> *A dignidade da pessoa humana é resultado da individualidade do ser humano, de sua razão e sua consciência, sendo que o reconhecimento da proteção da dignidade da pessoa humana por parte do Estado (e, por conseguinte, do próprio Direito) é advindo da evolução do pensamento humano. O direito, de tal forma, é concebido como um instrumento para assegurar a dignidade de cada ser humano, na medida de sua individualidade e especificidade. (SIQUEIRA; NUNES, 2018, p. 55)*

Com isso, o princípio da dignidade da pessoa humana consiste em um dos preceitos de fundamental importância para o desenvolvimento da sociedade e, conjuntamente com o direito à moradia tem a possibilidade de propiciar aos indivíduos o mínimo necessário ao direito patrimonial, para que todos possam viver de forma digna.

2.2 Do direito à moradia

O direito à moradia é visto como um dos fundamentais princípios do direito social, em virtude de estar diretamente vinculada com o mínimo desejado acerca de uma vivência digna das pessoas.

Desta forma, Santos (2009) explana que:

> *O direito à moradia é, no plano internacional, direito de natureza mista, isto porque se reveste de matizes econômicas, sociais e ambientais, trazendo consigo o poder de alterar panoramas de degradação para quadros de desenvolvimento, tornando-se elemento facilitador e estratégico para a implementação de políticas públicas locais. (SANTOS, 2009, p. 32)*

Ortmeier & Locateli (2011) preceitua que o direito à moradia está disposto na CF/88, no seu artigo 6º pela qual assegura aos cidadãos brasileiros além do direito à propriedade o acesso à saúde, dentre outros.

Assim sendo, o artigo 6º da Carta Magna dispõe que:

> *Art. 6º - São direitos sociais a educação, a saúde, a alimentação, o trabalho, a moradia, o transporte, o lazer, a segurança, a previdência social, a proteção à maternidade e à infância, a assistência aos desamparados, na forma desta Constituição. (BRASIL, 1988)*

Seguindo ainda os ensinamentos dos autores supracitados acima, os mesmos relatam que alguns doutrinadores consideram o direito à moradia como sendo um direito da personalidade e assim sendo, não pode sofrer penhora e muito menos ser renunciado em virtude de se tratar de um princípio individual, azafamado e inalienável.

No mesmo sentido, Rangel & Silva (2009) preceitua que os cidadãos não poderão ser exclusos de uma habitação digna e tampouco impedidos de conquistarem uma sob pena de violação aos princípios constitucionais. Cabe ao Estado realizar a sua proteção e proporcionar meios para todos usufruírem de sua morada.

Seguindo os pensamentos de Ortmeier & Locateli (2011), explanam que o direito à moradia, no que tange ao sistema jurisdicional brasileiro, está assegurado pelo regimento do bem de família, que, através da impenhorabilidade da morada e dos bens móveis que se encontram no interior do domicílio, salvaguarda não somente a morada, mas inclusive os cidadãos, a partir do momento em que determina a inviolabilidade do domicílio com o intuito de proporcionar aos mesmos o mínimo necessário para que possam viver com uma certa dignidade.

Partindo assim desta alegação, Ortmeier & Locateli (2011) dispõem que a penhorabilidade do bem de família somente ocorrerá em casos extraordinariamente específicos, sob pena de estarem infringindo uma determinada quantidade de princípios fundamentais.

Vale ressaltar que embora a sua magnitude, o direito à moradia se depara com inúmeras barreiras, uma vez que, mesmo sendo instituída pela Constituição Federal, o governo não possui sustentação financeira, situação que ocasiona uma carência ainda maior no que tange as políticas públicas atuais. É de fundamental importância que os setores governamentais garantam a preservação do direito à moradia dos indivíduos que, por meio do suor do seu trabalho, conquistou a sua morada.

2.3 Desenvolvimento sustentável x direito à moradia

O crescimento populacional e o aumento do poder econômico da sociedade causam desequilíbrio ambiental, na medida a degradação da natureza está atrelada ao desenvolvimento do social.

Nesse contexto, dá-se início a uma nova forma de preservação do meio ambiente, conhecida como Desenvolvimento Sustentável, por meio da qual se busca equilibrar os avanços econômicos e sociais com a preservação do meio ambiente.

Fernandes (2000) explana que o desenvolvimento sustentável pode ser entendido como:

> *Aquele que atende às necessidades do presente, sem comprometer a possibilidade de as gerações futuras atenderem suas próprias necessidades, como também é uma forma de otimizar o uso racional dos recursos naturais e a garantia de conservação e do bem-estar para as gerações futuras. (FERNANDES, 2000, p. 03)*

De igual modo, Buarque (1996) sustenta que o desenvolvimento sustentável pode ser visto como um instrumento operacional, ou seja, caracterizado como um método de transformação social e de crescimento das viabilidades da sociedade, conciliando, no tempo e no espaço, o desenvolvimento e a eficácia da economia, a preservação da natureza, uma melhor qualidade de vida e um bem-estar social, principiando-se um direto comprometimento com o amanhã e com as novas gerações.

Já para Cavalcanti (1995) desenvolvimento sustentável pode ser entendido como um moderno modelo cultural e científico, pois tem como objetivo principal a instituição de novos princípios, pensamentos, definições e entendimentos pelas quais estabelecerão como a humanidade se comportará em face a vivência atual, bem como de que forma a ciência se organizará perante os novos desafios que surgem com o passar do tempo.

Sen (1993) aduz que a sustentabilidade ambiental pode ser caracterizada como a maximização ou conservação do volume de sustentação do planeta, por intermédio da utilização dos recursos naturais disponíveis, de forma que haja o mínimo possível de degradação destes recursos, bem como a restrição no que tange a utilização dos bens ambientais não-renováveis, sendo substituídos por bens renováveis ou que contenha em abundância no meio ambiente.

Diante todo o exposto nota-se que o desenvolvimento sustentável está diretamente ligado à ideia da preservação do meio ambiente, instituindo práticas que favoreçam tal acontecimento e, que ao mesmo tempo possibilite o desenvolvimento da sociedade de forma harmônica, sem que haja a degradação do meio ambiente, respeitando todos os direitos fundamentais existentes, inclusive o direito à moradia e da dignidade da pessoa humana, pela qual está relacionada também com a preservação do meio ambiente.

2.4 À moradia nos dispositivos internacionais

De acordo com Marcelino (2016) o Direito a Moradia se tornou uma garantia universal e foi reconhecido mundialmente como direito fundamental a partir de 1948, com o advento da Declaração Universal dos Direitos Humanos, no seu artigo 25, § 1º, o qual dispõe que "[...] toda pessoa tem direito a um padrão de vida capaz de assegurar a si e à sua família, saúde e bem-estar, inclusive alimentação, vestuário, moradia, cuidados médicos e os serviços sociais indispensáveis".

Logo em seguida, mais precisamente em 1966, segundo Marcelino (2016), tem-se a instituição do Pacto Internacional de Direitos Humanos, Sociais e Culturais que, conjuntamente com o Pacto Internacional de Direitos Civis e Políticos e a referida Declaração mencionada acima, favorece para a formação da Carta Internacional dos Direitos Humanos. Vindo ela a consagrar, entre outras medidas, a moradia como um direito da sociedade. Passando assim, no ano de 1992 por meio do Decreto Presidencial de número 591 a ser introduzida no ordenamento brasileiro, dispondo, na parte III, do artigo 11:

> *Art. 11*
> *1 – Os Estados Partes do presente Pacto reconhecem o direito de toda pessoa a um nível de vida adequado para si próprio e sua família, inclusive à alimentação, vestimenta e moradia adequadas, assim como a uma melhoria contínua de suas condições de vida. Os Estados Partes tomarão medidas apropriadas para assegurar a consecução desse direito, reconhecendo, nesse sentido, a importância essencial da cooperação internacional fundada no livre consentimento (BRASIL, 1992).*

Nesse passo, os tratados internacionais ratificados pelo Brasil que estabelecem garantias fundamentais são considerados princípios constitucionais e, por essa razão, devem ser respeitados e seguidos.

Salienta-se que no ano de 1976, de acordo com Rozas (2016), foi instituída a Declaração de Vancouver sobre assentamentos humanos, a qual complementou a habitação e a moradia com a inclusão dos ideais inerentes ao assentamento humano. Também introduziu soluções direcionadas para a efetivação de ações que possibilitasse uma melhor qualidade de vida para tais assentamentos.

Já em 1996 Rozas (2016) vem a lecionar que a Conferência das Nações Unidas sobre Assentamentos Humanos, conhecida como Habitat II, apresentou questões de moradia onde estas deveriam ser de forma qualificada e que viessem a atender a todos os cidadãos, partindo-se das mudanças provenientes da industrialização nos assentamentos populacionais.

No que tange ainda ao Habitat II, Inácio (2002) afirma que este evento pode ser caracterizado como o marco histórico acerca do direito à moradia, em razão de seus resultados poderem ser empregados como preceitos para a instituição de políticas públicas direcionadas para os assentamentos humanos. Vindo ela a estabelecer, no seu artigo 13, de acordo com o autor supracitado acima, que:

> *Reafirmamos somos guiados pelos objetivos e princípios da Carta das Nações Unidas e reafirmamos nosso compromisso em assegurar a plena implementação dos Direitos Humanos estabelecidos em instrumentos internacionais, incluindo o Direito à Moradia como está na Declaração Universal de Direitos Humanos, na Convenção Internacional dos Direitos Econômicos, Sociais e Discriminação Contra a Mulher e na Convenção dos Direitos da Criança, levando em conta que o Direito à moradia adequada, na forma como está incluído nos instrumentos internacionais mencionados acima, deve ser implementado progressivamente. Reafirmamos que todos os Direitos Humanos – civis, culturais, econômicos, políticos e sociais – são universais, indivisíveis, independentes e inter-relacionados (INÁCIO, 2002, p. 38).*

Marcelino (2016) acrescenta que no ano de 2001 a Assembleia Geral das Nações Unidas desenvolveu a Declaração sobre as Cidades e outros Assentamentos Humanos no novo Milênio, por meio da qual reafirmou os ideais estabelecidos e compromissados no Habitat II, sustentando o referido programa como uma ferramenta a ser analisada na efetuação da garantia de se ter uma moradia eficaz e um assentamento populacional sustentável.

Percebe-se assim, mesmo que de forma resumida, que diversos foram os tratados internacionais elaborados e colocados em prática no que tange ao Direito à Moradia, com o intuito de se estabelecer uma moradia adequada para todos os cidadãos. Tornando-a, consequentemente, um direito fundamental de forma que os Estados passam a ser obrigados a realizarem e cumprirem esse direito através da instituição de programas habitacionais, bem como pelo estabelecimento de medidas voltadas para a assegurar a plena eficácia deste direito.

Conclusão

O intuito deste trabalho foi o de mostrar a relação da preservação do meio ambiente e das relações internacionais em face ao direito de moradia, evidenciando a importância do desenvolvimento sustentável como forma de propiciar uma melhor qualidade de vida para as gerações futuras.

Assim, ao longo do trabalho ficou evidente que uma das principais causas da degradação da natureza está ligada, diretamente, com o desenvolvimento econômico e social da sociedade no decorrer dos anos, onde as ações dos homens são exercidas tão somente para o seu bem-estar, não se importando com as consequências que tais atividades poderão acarretar. Nesse passo, o princípio do direito à moradia e da preservação do meio ambiente são constantemente violados em razão do crescimento demográfico desenfreado que ocorre nos últimos anos no país. Tal fato é consequência da omissão dos órgãos governamentais na implementação de políticas públicas, tanto no que tange a preservação de um meio ambiente como também do direito de moradia, ficando eles inertes frente ao crescimento desordenado das cidades, resultando em sérias degradações ambientais nunca mais recuperáveis, miséria e aumento da criminalidade.

Como forma de amenizar tal situação, necessário adotar medidas para que o direito de moradia e à preservação do meio ambiente sejam respeitados e sintonizados, pois ambos são essenciais à sadia qualidade de vida de uma sociedade e entendidos como princípios norteadores da dignidade da pessoa humana. Devem servir como base para a instituição de um meio social desenvolvido e sustentável.

Referências

ALVARENGA, Maria Amália de Figueiredo Pereira; RODRIGUES, Edwirges Elaine. **Transexualidade e dignidade da pessoa humana**. Revista Eletrônica do Curso de Direito UFSM. Santa Maria, v. 10, n. 1, 2015. Disponível em: https://periodicos.ufsm.br/revistadireito/article/view/18583/0. Acesso em: 05 de mai. de 2022.

ANTÔNIO, Mateus; VITORIA, Marcella. **Os princípios gerais do Direito Ambiental**. Jus.com.br, mai. 2019. Disponível em: https://jus.com.br/artigos/73668/os-principios-gerais-do-direito-ambiental#:~:text=Princ%C3%ADpio%20do%20acesso%20equitativo%20aos%20recursos%20naturais%2C%20esse%20princ%C3%ADpio%20garante,s%C3%A3o%20comuns%20e%20de%20acesso. Acesso em: 08 de mai. de 2022.

ANTUNES, Paulo de Bessa. **Direito Ambiental**. 16 ed., São Paulo: Atlas, 2014.

BITTAR, Eduardo C. B. (coord.). **Direitos humanos no século XXI: cenários de tensão.** Rio de Janeiro: Forense universitária; São Paulo: ANDHEP, Brasília: Secretaria Especial dos Direitos Humanos, 2009.

BRASIL. Casa Civil. **Decreto n.º 591**, de 6 de julho de 1992. Atos Internacionais. Pacto Internacional sobre Direitos Econômicos, Sociais e Culturais. Promulgação. Disponível em: http://www.planalto.gov.br/ccivil_03/decreto/1990-1994/d0591.htm#:~:text=Bras%C3%ADlia%2C%2006%20de%20julho%20de,e%20104%C2%B0%20da%20Rep%C3%BAblica.&text=1.,desenvolvimento%20econ%C3%B4mico%2C%20social%20e%20cultural.. Acesso em: 28 de mai. de 2022.

BRASIL. Planalto. **Constituição da República Federativa do Brasil de 1988**. Disponível em: http://www.planalto.gov.br/ccivil_03/constituicao/constituicaocompilado.htm. Acesso em: 05 de mai. de 2022.

BRASIL. Planalto. **Declaração do Rio sobre Meio Ambiente e Desenvolvimento**. Rido de Janeiro. 1992. Disponível em: https://cetesb.sp.gov.br/proclima/wp-content/uploads/sites/36/2013/12/declaracao_rio_ma.pdf. Acesso em: 08 de mai. de 2022.

BRASIL. Planalto. **Lei n.º 6.938**, de 31 de agosto de 1981. Dispõe sobre a Política Nacional do Meio Ambiente, seus fins e mecanismos de formulação e aplicação, e dá outras providências. Disponível em: http://www.planalto.gov.br/ccivil_03/leis/l6938.htm. Acesso em: 05 de mai. de 2022.

BUARQUE, S. **Desenvolvimento sustentável**. Brasília: Instituto Brasileiro do Meio Ambiente e dos Recursos Naturais Renováveis, 1996.

CAVALCANTI, C. **Desenvolvimento e natureza: estudos para uma sociedade sustentável**. São Paulo, Cortez Editora, 1995.

DECLARAÇÃO UNIVERSAL DOS DIREITOS HUMANOS. Assembleia Geral das Nações Unidas, 10 de dezembro de 1948. Disponível em: https://www.ohchr.org/sites/default/files/UDHR/Documents/UDHR_Translations/por.pdf. Acesso em: 02 de jun. de 2022.

DERANI, Cristiane. **Direito Ambiental Econômico.** São Paulo: Max Limonad, 1997.

FERNANDES, J.W.N. **A gestão ambiental e o desenvolvimento sustentável sob a ótica da contabilidade ambiental.** XVI Congresso Brasileiro de Contabilidade. Goiânia. 2000.

GRANZIERA, Maria Luíza Machado. **Direito Ambiental**. São Paulo. Atlas, 2009.

INÁCIO, Gilson Luiz. **Direito Social à Moradia & a Efetividade do Processo: Contratos do Sistema Financeiro da Habitação.** Curitiba: Juruá, 2002.

LAKATOS, E. M.; MARCONI, M. A. **Metodologia do trabalho científico**. 5. ed. São Paulo: Atlas, 2003.

MACHADO, Paulo Affonso Leme. **Direito Ambiental Brasileiro**, 22 ed. São Paulo: Malheiros Editores, 2014.

MARCELINO, Ederson. **Colisão entre os direitos fundamentais ao meio ambiente ecologicamente equilibrado e à moradia**: os casos de ocupação humana em área de preservação permanente. 2016. Monografia (Graduação). Universidade Federal de Santa Catarina. Florianópolis, 2016. Disponível em: 25 de mai. de 2022.

MILARÉ, Édis. **Direito do Ambiente**. 10. ed. São Paulo: Revista dos Tribunais, 2015.

NARDY, Afrânio. SAMPAIO, José Adércio Leite e WOLD, Chris. **Princípios de direito ambiental**. Belo Horizonte: Editora Del Rey, 2003.

NUNES, Danilo Henrique; SIQUEIRA, Dirceu Pereira. **O transgênero e o direito previdenciário: omissão legislativa e insegurança jurídica no acesso aos benefícios**. Juris Poiesis. Rio de Janeiro, v. 21, n. 25, abr. 2018. Disponível em: http://revistaadmmade.estacio.br/index.php/jurispoiesis/article/viewFile/5022/2330. Acesso em: 09 de mai. de 2022.

ORTMEIER, E. J.; LOCATELI, C. C. A Inconstitucionalidade da penhora do bem de família do fiador nos contratos locatícios. **Revista Grifos**, São Paulo, volume 30. 2011. Disponível em: https://bell.unochapeco.edu.br/revistas/index.php/grifos/article/view/2362/1430. Acesso em: 17 de mai. de 2022.

RANGEL, H.; SILVA, J. **O direito fundamental à moradia como mínimo existencial, e a sua efetivação à luz do estatuto da cidade**. Veredas do Direito. 2009.

ROBERTS, J. M. **O livro de ouro da história do mundo**. Trad. de Laura Alves e Aurélio Rebello. Rio de Janeiro: Ediouro, 2004.

ROZAS, Luiza Barros. **Direito à moradia**: âmbito, limites e controle no ordenamento jurídico nacional. 2016. Tese (Doutorado). Universidade de São Paulo. São Paulo, 2016. Disponível em: https://www.teses.usp.br/teses/disponiveis/2/2140/tde-25112016-172625/publico/FINAL1.pdf. Acesso em: 22 de mai. de 2022.

SANTOS, Jaime Melanias dos. **Direito à moradia e a função social da propriedade urbana**. São Paulo: FADISP, 2009. Tese (Mestrado) – na linha de pesquisa da função social dos institutos de direito privado, Faculdade de Direito, Faculdade Autônoma de Direito de São Paulo, p. 32. Disponível em https://pt.scribd.com/document/117936878/Jaime-Melanias-Dos-Santos-DIREITO-a-MORADIA. Acesso em: 15 de mai. de 2022.

SEN, A. **Desenvolvimento como liberdade**. São Paulo: Companhia das Letras, 2000.

SIRVINSKAS, Luís Paulo. **Manual de Direito Ambiental**. 7 ed. São Paulo: Saraiva, 2009.

SILVA, José Afonso da. **Direito ambiental constitucional**. 8. ed. atual. São Paulo: Malheiros, 2010.

SOUZA, Lucas Daniel Ferreira de. Crimes ambientais: princípios e evolução. **Revista Eletrônica da Faculdade de Direito de Franca**, v. 8, n. 1, jul. 2013. Disponível em: https://www.revista.direitofranca.br/index.php/refdf/article/download/232/194#:~:text=Foi%20com%20o%20advento%20da,uma%20sadia%20qualidade%20de%20vida. Acesso em: 22 de mai. de 2022.

Lawinter Editions present concise summaries of cutting-edge research and practical applications across a wide spectrum of Law fields.

Featuring compact volumes of 100 to 250 pages, Lawinter Editions cover a range of content from professional to academic.

Typical topics might include:

- A timely report of state-of-the art analytical Law techniques.
- A bridge between new research results, as published in journal articles, and a contextual literature review.
- A snapshot of a hot or emerging Law topic.
- A presentation of core concepts that students must understand in order to make independent contributions.

Lawinter Editions in Law showcase emerging theory, empirical research, and practical application of Law from a global author community.

Lawinter Editions are characterized by fast, global electronic dissemination, standard publishing contracts, standardized manuscript preparation and formatting guidelines, and expedited production schedules.

Send all inquiries to:

Lawinter Editions: editions@lawinter.com .

LAWINTER EDITIONS
New York - Zürich

ISBN: 978-3-03927-021-7

LAWINTER EDITIONS
New York - Zürich

Made in the USA
Columbia, SC
15 October 2022